W9-DHG-044
POKÉMON
11
RUBÍ Y ZAFIRO
GUIÓN:
HIDENORI KUSAKA
DIBUJO:
SATOSHI YAMAMOTO

ZAFIRO
ALANA
OVEN AL MANDO DE LOS
DERES DE GIMNASIO. SE
OCUPARÁ DE DIRIGIR LA
MISIÓN..
HISTORIA Y PERSONAJES PRINCIPALES
PLUBIO SE DIRIGE A CIUDAD ARBORADA, DONDE SE CELEBRA UNA REUNIÓN URGENTE DE TODOS LOS LÍDERES DE GIMNASIO DE LA REGIÓN DE HOENN. ALLÍ SE REENCUENTRAN RUBÍ Y ZAFIRO, CUYOS CAMINOS NO SE CRUZABAN DESDE LA RUTA 109.
RUBÍ
AQUILES
GABI Y TEO
ERICO

MIEMBRO DE LOS SSS DEL EQUIPO AQUA. ES RANDOTE E INTELIGENTE.

FRÍO Y BRUTAL LÍDER DE LA MISTERIOSA ORGANIZACIÓN EQUIPO AQUA.

REPORTERA Y CÁMARA DE HOENN TV.

LÍDER DE GIMNASIO DE MALVALANOVA, UN ABUELO JOVIAL Y BROMISTA.

RUBÍ Y ZAFIRO

CANDELA

LÍDER DE GIMNASIO DE PUEBLO LAVACALDA, POSEE UN ARDIENTE ESPÍRITU.

MARCIAL

LÍDER DE GIMNASIO DE PUEBLO AZULIZA, REBOSA PODER.

PETRA

LÍDER DE GIMNASIO DE CIUDAD FÉRRICA, TIENE UN CARÁCTER PASIONAL.

PLUBIO

LÍDER DE GIMNASIO DE ARRECÍPOLIS Y ¿MAESTRO DE RUBÍ?

EL EQUIPO AQUA LOGRA DETENER LA ACTIVIDAD VOLCÁNICA DEL MONTE CENIZO, UN PASO MÁS EN SU PLAN PARA REVIVIR AL LEGENDARIO POKÉMON KYOGRE. ZAFIRO INTENTA DETENERLOS, PERO AL NO CONSEGUIRLO SE DIRIGE A PUEBLO LAVACALDA CON LA INTENCIÓN DE HACERSE MÁS FUERTE. AUNQUE TRATA DE EVITARLO, RUBÍ SE VE CADA VEZ MÁS ENVUELTO EN LA TRAMA DE LOS ACONTECIMIENTOS AL TOPARSE EN EL ACCIDENTE DEL TÚNEL FERVERGAL CON LOS MIEMBROS DEL EQUIPO MAGMA, QUIENES POR SU PARTE BUSCAN REVIVIR AL POKÉMON ANCESTRAL GROUDON. RUBÍ VENCE EN TODAS LAS CATEGORÍAS DEL CONCURSO NORMAL CELEBRADO EN PUEBLO VERDEGAL. EN PUEBLO PARDAL CONOCE AL LÍDER DE GIMNASIO PLUBIO, EL INSUPERABLE MAESTRO DE LA CATEGORÍA DE BELLEZA. SUS HABILIDADES LO EMOCIONAN TAN PROFUNDAMENTE QUE LE CONVENCE PARA QUE LE ACEPTE COMO APRENDIZ.

BLAISE

REALIZA ATAQUES ILUSORIOS Y CONTROLA LOS RECUERDOS CON LAS LLAMAS.

TATIANO

UNO DE LOS MIEMBROS DEL TRIUNVIRATO DE FUEGO DEL EQUIPO MAGMA. USA UN TORKOAL.

MAGNO

LÍDER DEL EQUIPO MAGMA.

AMBER

POSEE UN CARVANHA. ES EL HOMBRE DE CONFIANZA DEL LÍDER DEL EQUIPO AQUA.

ENTRENADORES DE LA SAGA RUBÍ Y ZAFIRO

ZAFIRO

ZAFIRO (10 AÑOS)

ENTRENADORA INDOMABLE QUE QUIERE VENCER A TODOS LOS LÍDERES DE GIMNASIO. VIAJA POR TODO HOENN DEMOSTRANDO UN GRAN PODER SOBRE LA NATURALEZA.

CHIK — BLAZIKEN ♀

POKÉMON DE TIPO FUEGO Y LUCHA. ES DE NATURALEZA MANSA.

RONO — LAIRON ♂

SE MUESTRA ORGULLOSO DE SU CUERPO RESISTENTE Y SU ESPECIALIDAD ES DERRIBO. ES DE NATURALEZA PÍCARA.

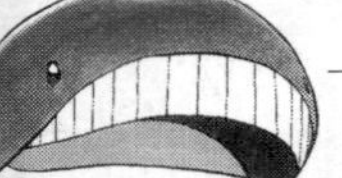

WALO — WAILORD ♂

CON SU ENORME CUERPO AYUDA EN LOS DESPLAZAMIENTOS POR EL MAR. ES DE NATURALEZA OSADA.

DONO — DONPHAN ♂

SE ENCARIÑÓ DE ZAFIRO EN CIUDAD MALVALONA. ES DE NATURALEZA ACTIVA.

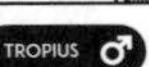

PILO — TROPIUS ♂

APARECE CUANDO ZAFIRO NECESITA VOLAR, PERO LO SUELE TENER SUELTO. ES DE NATURALEZA SERENA.

RUBÍ

RUBÍ (11 AÑOS)

MUCHACHO QUE SE HA MUDADO A HOENN CON SU FAMILIA. ¡¡ES UN ENTRENADOR QUE CREE EN LA BELLEZA Y QUIERE GANAR TODOS LOS CONCURSOS POKÉMON!! ¡DICE QUE NO LE INTERESAN PARA NADA LOS COMBATES!

MUMU — MUDKIP ♂

EL PROFESOR ABEDUL SE LO DIO. ES DE NATURALEZA PLÁCIDA

NANA — MIGHTYENA ♀

ENCARGADA DE LA CATEGORÍA CARISMA. ES DE NATURALEZA FIRME.

COCO — DELCATTY ♀

ENCARGADA DE LA CATEGORÍA DULZURA. ES DE NATURALEZA INGENUA.

MIMI — FEEBAS ♀

EL NADADOR LE OBLIGÓ A QUEDÁRSELA. ES DE NATURALEZA MODESTA.

POPO — CASTFORM ♀

CAMBIA DE APARIENCIA SEGÚN LAS CONDICIONES ATMOSFÉRICAS. ES DE NATURALEZA CAUTA.

POKéMON 11

RUBÍ Y ZAFIRO

Índice

CAPÍTULO 137: Contra Grumpig (1ª parte)

¡¡TÚ!!
¡¡TÚ!!

BRRROOOM

¿VOSOTROS...
...OS CONOCÉIS?

¡¡CLARO QUE NOS CONOCEMOS!!
¡¡ESTOY COMPITIENDO CON ÉL!!
¡POM!
URGH

COM... ¿COMPITIENDO?

¡¡EH!! ¡¡¿SE PUEDE SABER QUÉ HACES AQUÍ?!!
¡ESTOY COMPITIENDO CON TODOS LOS LÍDERES DE GIMNASIO! ¡HE VENIDO A RETAR A LA LÍDER DEL GIMNASIO ARBORADA, POR SUPUESTO!

¿Y TÚ QUÉ HACES EN EL SITIO DONDE TODOS LOS LÍDERES DE GIMNASIO VAN A REUNIRSE?

!!

¡¿SE VAN A REUNIR TODOS LOS LÍDERES DE GIMNASIO?!

¡BIENVENIDO, PLUBIO, LÍDER DE GIMNASIO DE ARRECÍPOLIS! ¡TE ESTÁBAMOS ESPERANDO!
BLAM

BUFFF...
PARECE QUE NO ESTÁ...

¿EH? ¿CÓMO QUE "LÍDER"...?

SEGUIMOS EN EL NIVEL 7 DE EMERGENCIA.
ESTIMADOS LÍDERES, QUIERO QUE OS QUEDÉIS EN CIUDAD ARBORADA PARA PREPARAR NUESTRA RESPUESTA ANTE ESTA GRAVE SITUACIÓN.
CUANDO LLEGUEN VITO Y LETI COMENZAREMOS A PLANEAR NUESTRA ESTRATEGIA. QUIERO QUE ME TENGÁIS INFORMADA DE TODO LO QUE VAYA OCURRIENDO.
¡ESO ES TODO!

¡OOOH, MAESTRO! ¡NO SABÍA QUE TAMBIÉN ERA LÍDER DE GIMNASIO!
JE, JE... YA, ¿Y TÚ NO ERES HIJO DE OTRO?
!!
¿Y LO DICE EL HIJO DE UN LÍDER DE GIMNASIO?
EJEM... ¿NOS... OYÓ?
¡¡PERO DA IGUAL, MAESTRO, MI VIDA SON LOS CONCURSOS POKÉMON!!

¡ZAS!
POM
¡¡AJÁ!!
ZIU ZIU
¡¡OOOH!!

¡OH, QUÉ BELLO! ¡¡ERES UN VERDADERO MAESTRO!! ¡¡ME MUERO POR EMPEZAR MI ENTRENAMIENTO INTENSIVO!!
¡ESTUPENDO! ¡¡APRENDERÉ SUS MOVIMIENTOS MAGISTRALES Y ARRASARÉ EN LOS CONCURSOS DE NIVEL AVANZADO Y EXPERTO!!

...

OBSERVANDO LAS GOTAS DE AGUA EN LAS HOJAS PUEDE COMPROBARSE EL NIVEL DE HUMEDAD EN LA ATMÓSFERA.

¿TODA ESTA HUMEDAD... SERÁ CONSECUENCIA DE LA INTERRUPCIÓN DE LA ACTIVIDAD VOLCÁNICA?

DEBO INVESTIGAR A OTRA ALTITUD.
¡¿OOOH?!
¡AH!
¿EH?
CRIS CRIS

TENGO QUE MARCHARME UN RATO Y ES PELIGROSO, ASÍ QUE TÚ TE QUEDAS AQUÍ.
¡¿EEEH?!

¡PERO MAESTRO...!
BRROOOOM
¡¡MAESTROOOO!!

...

¡MAESTRA! ¡¿VAMOS A EMPEZAR EL ENTRENAMIENTO?!
SÍ...
COMO TE HE DICHO, VAMOS A NECESITAR TU FUERZA EN LA BATALLA.

¡BIEN! ¡MUÉSTRAME LO QUE PUEDES HACER!
¡CLARO!
¡¡VAMOS, CHIC!!

¡¡PATADA ÍGNEA!!
FOASH

¡MAL! ¡TU ADVERSARIO ES DE TIPO VOLADOR! ¡SI EMPIEZAS ATACANDO ASÍ, SALDRÁ VOLANDO!
¡VALE!

ES MEJOR EMPEZAR CON MOVIMIENTOS MENOS INTENSOS PARA DEBILITAR A TU OPONENTE.
Y UNA COSA MÁS...

AHORA MISMO TENÍAS UN PUNTO CIEGO.
¡EL ENTRENADOR...
...DEBE MOVERSE DURANTE EL COMBATE PARA HACERSE CARGO DE TODA LA SITUACIÓN!
¡AH...! ¡ENTIENDO!

VENGA, SIGAMOS.
¡AHÍ!
SHIIIN
¡OTRA VEZ!
FAAAAM
¡MUY BIEN!
SHAAAA
¡LO VAS PILLANDO RÁPIDO!

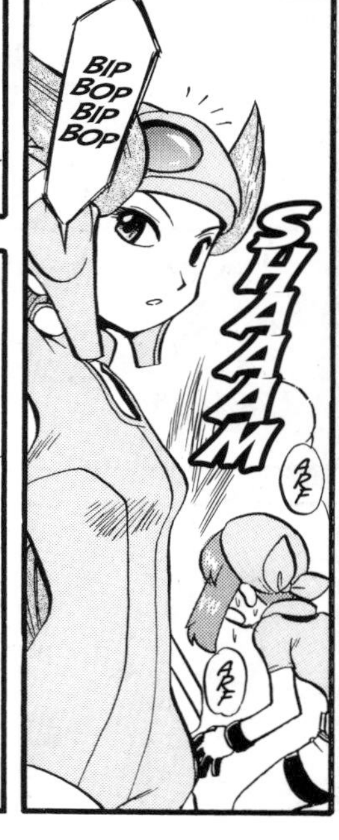
BIP BOP BIP BOP
SHAAAAM
ARF
ARF

AQUÍ, ALANA...
HMMM... ENTENDIDO.

LO SIENTO, ZAFIRO, LUEGO VUELVO.
FLAP
FLAP
FLAP
¡¡¿EEEH?!! ¡¡MAESTRAAA!!
...

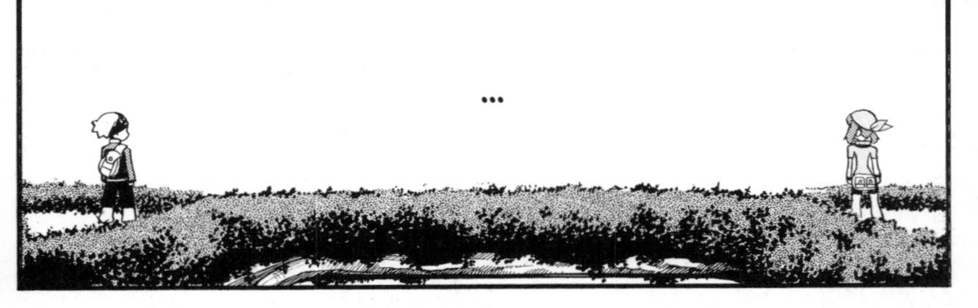
...

EH, ¿QUÉ TAL TE VA?
BUENO... SUPONGO QUE BIEN.
ME ALEGRO.

¡AH, PERO SI ES AQUEL CASTFORM!
¿UH?
¿CONOCES A POPO?

¡ME LO ENCONTRÉ EN LA RUTA 104! ¡¡CUÁNTO TE ECHABA DE MENOS!!
¡¡QUÉ MONADAAA!!
¿A QUE SÍ?
PUES MIRA ESTA PARTE.

POING
¡EH! ¡¿QUÉ PASA?! ¿HOY NO REÑIMOS?
¡¿EH?! ¡¿Y ESO QUÉ QUIERE DECIR?! ¡¿INSINÚAS QUE SIEMPRE EMPIEZO YO?!

¡CLARO! ¡YO POR PRINCIPIOS SOY PACÍFICO, SOLO RESPONDO CUANDO ALGUIEN SE METE CONMIGO!

...

FIU
PUEDE... PUEDE QUE SIEMPRE SEA YO LA QUE EMPIEZA A METERSE CONTIGO...
LO SIENTO...
PE... ¿PERO QUÉ PASA HOY? ¡NO ME LO PUEDO CREER!

POR FIN HABLAS COMO UNA CHICA.
¡¿QUÉ!?!
¡¿CÓMO PUEDES SER TAN MEZQUINO?!

¡¡PUES CLARO, COMO QUE SOY UNA CHICA!!
POM POM
¡ME ENCANTAN LAS COSAS BONITAS Y TAMBIÉN HAY UNA PERSONA QUE ME GUSTA!
POM
¡INCLUSO AHORA!
BRRR
?
BRRR BRRR
¡UAH!
BOM
¡¡UAAAH!!

B
R
RR
RK
!!
¡UNA ESTAMPIDA DE SPOINK! ¡VAN A DAR UN BOTE!
¡¡ES AÚN MÁS INTENSO QUE EL DE PETALIA!!
¡¡UN TERREMOTO!!
CLONC
CLONC
CLONC
CLONC
¡¡UAAAH!!
PUMBA
¡RÁPIDO! ¡POR AQUÍ!
¡GRUMPIG! ¡¡SI NOS QUEDAMOS AQUÍ ESTAMOS PERDIDOS!!

GRA
AAARG
BAM
¡¡CUIDADO!!
¡¡NANA!!
¡¡DERRIBO!!
BAM
POM
FIU
ZAS

AGH
ARF
AFF
PERO...
¿QUÉ HA SIDO ESO?

¿CÓMO...?
¿CÓMO HAS HECHO ESO?

MAPA DE LA AVENTURA

ZAFIRO

RUBÍ

CHIC
BLAZIKEN ♀
NV. 37

RONO
LAIRON ♂
NV. 41

WALO
WAILORD ♂
NV. 47

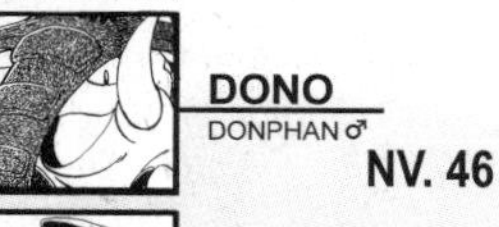

DONO
DONPHAN ♂
NV. 46

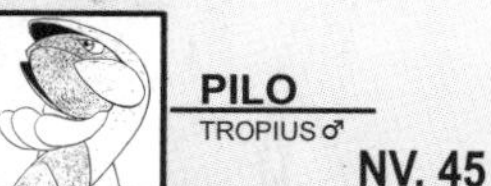

PILO
TROPIUS ♂
NV. 45

MUMU
MARSHTOMP ♂

NANA
MIGHTYENA ♀

COCO
DELCATTY ♀

MIMI
FEEBAS ♀

POPO
CASTFORM ♀

FÉRRICA	AZULIZA	MALVALONA	LAVACALDA
PETALIA	ARBORADA	ALGALIA	ARRECÍPOLIS

	CARISMA	BELLEZA	DULZURA	INGENIO	DUREZ
NORMAL					
ALTO					
AVANZADO					
EXPERTO					

CAPÍTULO 138: Contra Grumpig (2ª parte)

¿CÓMO HAS HECHO ESO?
HAS DETENIDO LA ESTAMPIDA DE GRUMPIG...
¡12 POKÉMON DE UNA SOLA VEZ...!

BUFFF... ARF... ¿YO? QUÉ VA...
EL PODER DE LOS GRUMPIG SE CONCENTRA EN SU PERLA NEGRA...
ESTABAS APUNTANDO JUSTO AHÍ... LO HAS SABIDO AL MOMENTO...
ÁREA GRITO TAMA
Nº 111 GRUMPIG
POKÉMON MANIPULADOR
ALTURA 0,9 M
PESO 71,5 KG
GRUMPIG USA LAS PERLAS NEGRAS QUE TIENE PARA AMPLIFICAR LAS ONDAS DE SU PODER PSÍQUICO Y CONTROLAR POR COMPLETO AL RIVAL. AL EMPLEAR SU PODER ESPECIAL, SE LE CANSA LA RESPIRACIÓN Y RESOPLA CON PESADEZ
CREÍA QUE HABÍAS UTILIZADO DERRIBO... ¡¡PERO NO!!
¡NO HAS ACTUADO COMO UN ENTRENADOR NORMAL!
PUES QUÉ RARO... DEBE DE HABER SIDO COSA DE NANA.

¡¡DEJA YA DE HACER TEATRO!!

POM
¡¡RONO?!!
ZAS
FUM

...

ME HAS...
...ESTADO MINTIENDO, ¿NO?

¡¿POR QUÉ LO HAS HE-CHO?!
...

¡¡NO TE QUEDES CALLADO!! ¡¡RESPONDE!!

...

...
¿NO VAS A DECIR NADA...?

NO IMPORTA. DA IGUAL LA RAZÓN, LO IMPORTANTE ES QUE ES ALGO BUENO.
?
¿CÓMO QUE ES ALGO BUENO?

NO ME DIGAS QUE NO LO SABES...
¡AQUÍ ESTÁN REUNIDOS TODOS LOS LÍDERES DE GIMNASIO DE LA REGIÓN PARA DISCUTIR CÓMO RESPONDER A LO QUE ESTÁ OCURRIENDO!

¡VAN A NECESITAR LA AYUDA DE OTRAS PERSONAS!
¡Y, POR SUPUESTO, PUEDEN CONTAR CON LA MÍA!

¿Y?

¿CÓMO QUE "Y"?
¡¡CON TU PODER SEGURO QUE PUEDES AYUDAR A COMBATIR!! ¡¡¿ES QUE NO ESTÁ CLARO?!!

...

NO... ME INTERESA.
¡¡...!!

¡¿EEEH?! ¡¿QUÉ QUIERES DECIR?!
SHUUU
PUES ESO.

GANAR TODOS LOS CONCURSOS. ESE ES EL ÚNICO PROPÓSITO DE MI VIAJE.

NO SÉ MUY BIEN QUÉ ESTÁ PASANDO, PERO NO TIENE NADA QUE VER CONMIGO.

¡PERO SERÁAAS...!
¡¿CÓMO SE PUEDE SER TAN EGOÍSTA?!

¡¡LOS VOLCANES SE EXTINGUEN, LOS TERREMOTOS CONTINÚAN Y HAY ORGANIZACIONES QUE ATENTAN CONTRA LA NATURALEZA!!
¡¡NO ES MOMENTO DE PENSAR EN NUESTRA APUESTA!!
¡¡AHORA LOS CONCURSOS SON LO DE MENOS!!
¡¡DEBEMOS LUCHAR PARA SALVAR HOENN!!

NO PRETENDERÁS QUE ALGUIEN QUE SE ACABA DE MUDAR A HOENN SE PONGA A LUCHAR POR HOENN...
ADEMÁS, CUANDO GANE TODOS LOS CONCURSOS PIENSO VOLVER A JOHTO, ESTO DEL CAMPO NO ES PARA MÍ...

¿LO DICES EN SERIO?
SÍ.
...
CHAAC
¡EH, EH! ¡¿PERO QUÉ...?!
ÑUC
AUNQUE SIEMPRE ESTAMOS PELEANDO... CREÍA QUE EN EL FONDO ERAS BUENA PERSONA.
ÑUC
DE VERDAD QUE LO PENSABA.
FRAS

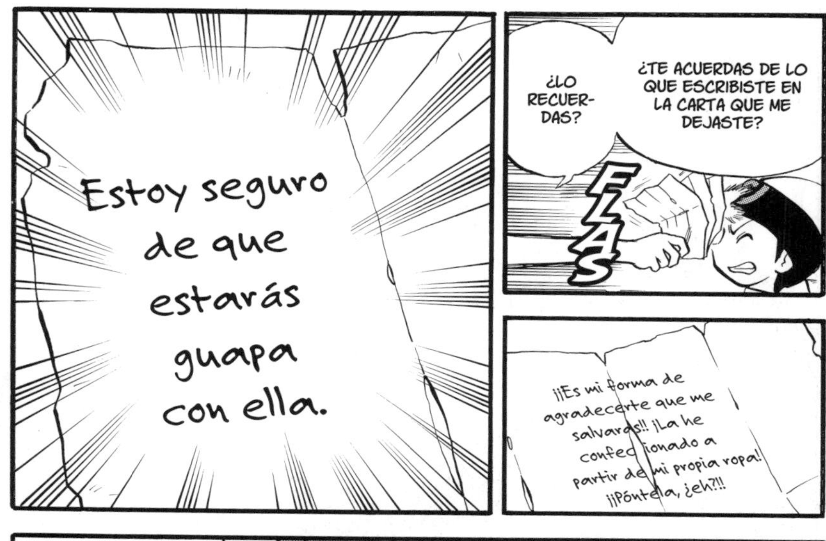
Estoy seguro de que estarás guapa con ella.
¿TE ACUERDAS DE LO QUE ESCRIBISTE EN LA CARTA QUE ME DEJASTE?
¿LO RECUERDAS?
FLAS
¡¡Es mi forma de agradecerte que me salvaras!! ¡La he confeccionado a partir de mi propia ropa! ¡¡Póntela, ¿eh?!!

ME PUSE MUY CONTENTA, NADIE ME HABÍA DICHO ALGO ASÍ ANTES.
ASÍ QUE CUANDO SALÍ DE VIAJE ME PUSE TU ROPA.

PERO
AHORA ME DOY CUENTA DE QUE HE SIDO UNA TONTA...
FRAS
¡TENER UN PODER ASÍ
Y NO QUERER UTILIZARLO!
¡¡TE DA IGUAL TODO EL MUNDO...!!
YO...
¡¡BASTA, NO QUIERO OÍR MÁS!!

FA H
¡¡¿PARA QUÉ TE HAS ESTADO ENTRE-NANDO?!!
¡TU PODER DEBERÍA SERVIR PARA AYUDAR A QUIEN LO NECESITE!
...
¡¡NO VUELVAS A CRUZARTE EN MI CAMINO!!
...

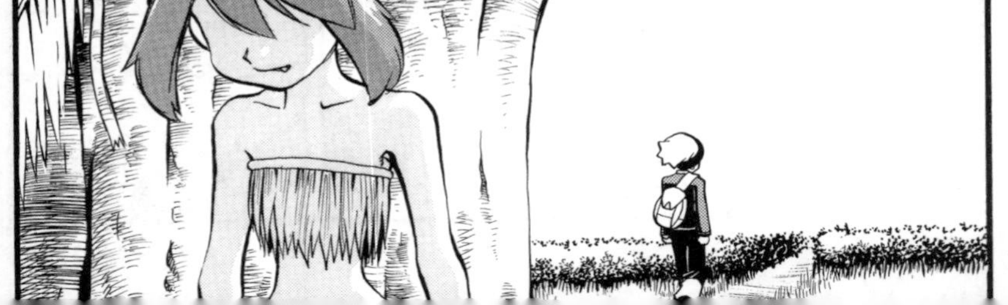

UN TERREMOTO TERRIBLE.
CLAC
CLAC
CLAC
CLAC

¿ESTÁIS TODOS BIEN?
CHAC

¿QUE SI ESTAMOS BIEN? ¡NO NOS HABLES DE TERREMOTOS!
CIERTO, NO TRATES DE DESVIAR LA CUESTIÓN...

NO OS ENTIENDO.
¡LA NIÑA HABRÁ GANADO ALGUNA MEDALLA,
PERO ESO NO SIGNIFICA QUE PUEDA PARTICIPAR EN EL COMBATE!
¡HABLABAS COMO SI TODOS HUBIÉRAMOS DADO NUESTRA APROBACIÓN,
PERO EN REALIDAD LO HABÉIS DECIDIDO ENTRE TÚ Y CANDELA!
¡PAH!

¡BIEN, LO ACLARAREMOS CUANDO LLEGUEN VITO Y LETI! ¡VEREMOS QUIÉN TIENE RAZÓN!

...

¿DÓNDE SE HABRÁN METIDO...?
VITO Y LETI...
ZAH

MONTE PÍRICO.
¿QUÉ OPINAS, VITO?
TIENES RAZÓN, LETI.
SHIUU
SOL-ROCK...
¡¡HA DETECTADO UNA PRESENCIA MALIGNA!!

SOLROCK PUEDE LEER LA MENTE DEL ADVER-SARIO...
ÁREA
GRITO
TAMAÑO
Nº 123 SOLROCK
POKÉMON METEORITO
ALTURA 1,2 M
PESO 154,0 KG
LA FUENTE DE ENERGÍA DE SOLROCK ES LA LUZ DEL SOL. DICEN QUE TIENE LA HABILIDAD DE LEER LA MENTE DE LOS DEMÁS. AL ROTAR, LIBERA MUCHO CALOR.
DEBE DE HABER REACCIONADO ANTE UNA PRE-SENCIA QUE HA INVADIDO EL MONTE PÍRICO.
PARECE QUE TENEMOS TRABAJO.

ES UNA PENA QUE NO HAYAMOS PODIDO ASISTIR A LA REUNIÓN DE LÍDERES DE GIMNASIO.
SI AL MENOS SU-PIERAN QUE ESTAMOS AQUÍ...
NO PODÍAMOS AVISARLES, VITO.
ESTA OPERACIÓN DEBÍA MAN-TENERSE EN SECRETO.
¿HAS OLVIDADO QUE NOS HAN NOM-BRADO LÍDERES BAJO CONDICIONES ESPECIALES PARA QUE LLEVEMOS A CABO ESTE TRABAJO?
SÍ...
DOS PERSONAS, PERO UN SOLO LÍ-DER DE GIMNASIO.

FOASH
¡¡POR AQUÍ, LETI!!
DASH

FSSSH
¿CA-LOR?
ES NORMAL QUE HAGA CALOR.
FSSSH

AMBOS POKÉMON ESTÁN CAPTANDO UNA PRESENCIA MALIGNA EN EL INTERIOR DE LA MONTAÑA.
¿Y ESTE CALOR...?

LAS PIRAS SIRVEN PARA ENVIAR A LOS MUERTOS AL OTRO MUNDO.
SE LLAMA MONTE PÍRICO PORQUE EN EL INTERIOR DE LA MONTAÑA HAY EXCAVADO UN CEMENTERIO.
UN LUGAR PARA EL DESCANSO DE LAS ALMAS DE LOS POKÉMON...

¡SAL DE ENTRE LAS SOMBRAS!
FLOOOSH
FAH
HEMOS VENIDO A RECLAMAR...
...EL PRISMA ROJO Y EL PRISMA AZUL.

CON ELLOS CONTROLAREMOS LA VOLUNTAD DE KYOGRE Y GROUDON A NUESTRO ANTOJO.
FUOSH

ASÍ QUE VOSOTROS ERAIS LA PRESENCIA QUE HA DETECTADO NUESTRO SOLROCK...
¡NOS SORPRENDE QUE SEPÁIS DE LA EXISTENCIA Y EL PODER DE LOS PRISMAS!
¿CÓMO HABÉIS ENCONTRADO ESTE SITIO?

PUES TENÍAMOS LA SUERTE DE CONTAR CON EL ESCÁNER.
BIP BIP

QUÉ MONADA DE GUARDIANES...
...ESTOS DOS PEQUEÑINES.
ÑUC
¡¡ES UNA PENA QUE TENGAMOS QUE OCUPARNOS DE VOSOTROS!!
FLOOOSH
FROASH
DASH
FUUUM
BOOM

¿Y ASÍ ES COMO PRETENDÉIS DERROTARNOS?
SERÁ MEJOR QUE LO INTENTÉIS DE VERDAD.
FIU
FIU

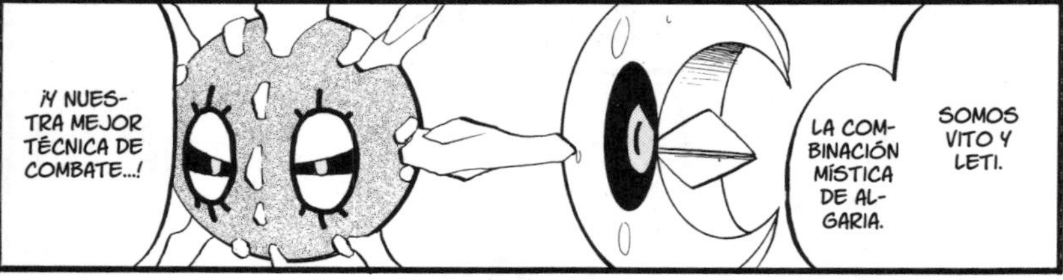
SOMOS VITO Y LETI.
LA COMBINACIÓN MÍSTICA DE ALGARIA.
¡Y NUESTRA MEJOR TÉCNICA DE COMBATE...!

...¡¡ES EL ENFRENTAMIENTO DE DOS CONTRA DOS!! ¡¡EL COMBATE DOBLE!!

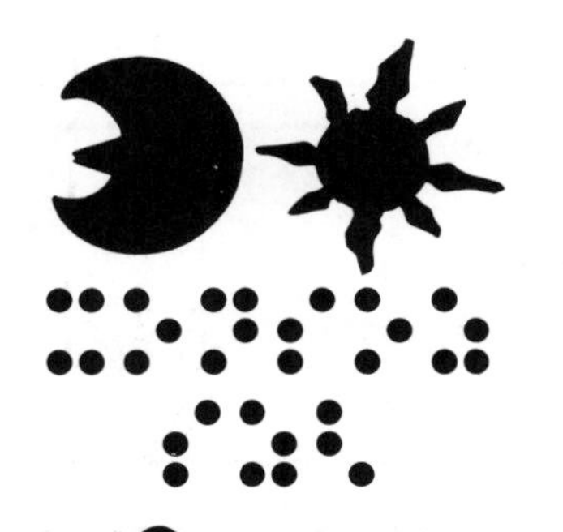

CAPÍTULO 139: Contra Lunatone y Solrock

HACE INFINIDAD DE TIEMPO, DOS POKÉMON LEGENDARIOS SE ENZAR-ZARON EN LA BATALLA MÁS TERRIBLE QUE HAYA EXISTIDO...
¡¡KYOGRE Y GROUDON!!

EL DEVASTADOR ENFRENTAMIENTO CONTINUÓ HASTA QUE AL FIN DOS PODEROSAS ESFERAS PUSIERON FIN AL COMBATE.

¡¡EL PRISMA AZUL...
... Y EL PRISMA ROJO!!

EL BRILLO DE AMBAS LOGRÓ CALMAR SU IRA...
...Y AL APACIGUARSE LOS DOS POKÉMON SE HUNDIERON EN LAS PROFUNDIDADES DEL MAR.

CIMA DEL MONTE PÍRICO.
OH...
OOOH...
¿QUÉ OCURRE?
UH... UH...
UNOS INVASORES HAN PENETRADO EN LA MONTAÑA...
VITO Y LETI ESTÁN COMBATIÉNDOLOS.
OH, NO...

NUESTRA EDAD YA NO NOS PERMITE CUMPLIR LA MISIÓN, PERO NUESTROS SUSTITUTOS SON UNOS NIÑOS...
CIER-TO.

PERO HAY QUE PROTEGER LAS ESFERAS A TODA COSTA...

¡O LAS CONSE-CUENCIAS SERÁN TERRI-BLES!

¡¡MASA CÓSMI-CA!!
SHUUUN

FOAASH
BAAAM
¡ES INÚTIL! ¡GRACIAS A MASA CÓSMICA HEMOS ELEVADO NUESTRAS DEFENSAS ESPECIALES!
¡Y LUNATONE Y SOLROCK TAMBIÉN SON DE TIPO ROCA, ASÍ QUE TENEMOS VENTAJA!
¡¡LUNATONE, AVALANCHA!!
¡¡NO OS DAREMOS TREGUA...
...HASTA QUE VOLVÁIS POR DONDE HABÉIS VENIDO!!
SRAAAAS

BRRRRRR

¡AVALANCHA PERMITE ALCANZAR A DOS OPONENTES A LA VEZ!

¡MIENTRAS LUNATONE CIERRA EL PASO, SOLROCK PREPARA EL PRÓXIMO MOVIMIENTO!
¡ESTE ES EL SECRETO DEL COMBATE DOBLE!

¡¡PAZ MENTAL!!
SSSSSH

¡¡VAMOS, LLÉVALO AL LÍMITE!!
¡¡¿QUÉ OS PARECE EL PODER DE NUESTRO MOVIMIENTO ESPECIAL?!!
FLASH

¡UGH! ¡ARMADURA ÁCIDA...!
FSSSH
BLORB
BLORB

¿INTEN-
TABAIS
HUIR?
SHUUUN
¡¡PSICOONDA!!

POM

BUFFF...
¡HACÍA
TIEMPO
QUE NO
COMBA-
TÍAMOS
ASÍ...!

¿QUÉ? ¿TODAVÍA
OS QUEDAN GANAS
DE LLAMARNOS
"PEQUEÑINES"?

...

YA NO
DECÍS
NADA,
¿EH?
¡MUY
BIEN!
¡PUES
FUERA
DE
AQUÍ!

FFUOOOS

UH...
BLOF
¿EH? ¿QUÉ TE PASA?

LO SIENTO... HE TENIDO UN VAHÍDO...
SERÁ EL CALOR QUE HACE AQUÍ...

!!
SHUUU

FSSSHUM

?!

JU, JU, JU, JU, JU...
FSSSSSH

JU
¡¡¿QUÉ?!! ¡¡¿QUERÉIS SUFRIR UNA DERROTA AÚN MAYOR?!!
JA
JU
JA
JU
JA
¡¡COMO QUERÁIS!!
¡¡TENDREMOS QUE VOLVER A ENSEÑAROS
JU
¡¡VAMOS A DERROTAROS!!
JA
JA
JU
EL PODER DEL COMBATE DOBLE!!
JU
¡¡TENEMOS LA FUERZA PARA GANAROS!!
JA

BRRROOOM
JU, JU, JU, JU, JU...
OH, YA ME IMAGINO QUE LA TENÉIS...
...PERO
SOLO CUANDO SE TRATA DE UN DOS CONTRA DOS.

JU, JU, JU... ES OBVIO.
EN NINGÚN MOMENTO SE HA TRATADO DE UN COMBATE DOBLE.
OS HABÉIS ESTADO ENFRENTANDO A ILUSIONES CREADAS POR MÍ.
PERO... ¡ESTOY SEGURO DE HABER ACERTADO...!
ARF
AGH
AGH
BUF
¿POR QUÉ EL MOVIMIENTO NO SURTE EFECTO?

HE MEZCLADO EL FUEGO DE MI SLUGMA CON EL FUEGO...
...DE LAS PIRAS ENCENDIDAS EN EL CEMENTERIO. OS HE IDO RODEANDO POCO A POCO SIN QUE OS DIERAIS CUENTA.

PODRÍAIS PASAROS TODA UNA VIDA COMBATIENDO CON MIS ILUSIONES...
BUENO, A VER ADÓNDE APUNTA EL ESCÁNER...
BIP
BIP
¿A LA CIMA?

!!
BAM
UGH
POM
UGH...
CRAC
JU, JU, JU, JU, JU.
CRAC
CRAC

PUES SÍ, AQUÍ ESTA-BAN.
¡LOS DOS PRISMAS!

CAPÍTULO 140: Contra Walrein

HOENN TV, CIUDAD CALA-GUA.
Hoenn TV

¡EH! ¡AQUÍ!

ÚLTIMAMENTE ANDÁIS MUY OCUPADOS, LOS DEL EQUIPO AQUA...
QUE SI DISFRAZADOS DE EMPLEADOS DEL DEPARTAMENTO DE AGUAS, QUE SI INFILTRADOS EN LA TELEVISIÓN...
¡¿NO, AQUILES?!

ZIU
ZIU
ZIU
BLAM
SHIIIN
¿QUIÉN ERES?

FSSSH
¡DÉJATE VER!
POM
FOAAASH
FOASH

MAGNO.

CUÁNTO TIEMPO, AQUILES.
NOS HAS ESTADO CAUSANDO BASTANTES PROBLEMAS...

¿DE QUÉ HABLAS...?

¡HUMPF!
¡NO TE HAGAS EL IDIOTA!

NO SÉ CÓMO HAS LLEGADO A DIRECTOR DE LA CADENA...
¡PERO SÉ PARA QUÉ!

¡HAS ESTADO OCULTANDO LA ACTIVIDAD DEL EQUIPO AQUA...
...Y DANDO MÁXIMA DIFUSIÓN AL EQUIPO MAGMA!
¡¡QUÉ CONVENIENTE!!

JA, JA, JA... ¿TE HAS DADO CUENTA?
GRACIAS A TI YA NO PODEMOS DAR UN SOLO PASO, NUESTRA ORGANIZACIÓN ESTÁ ATADA DE PIES Y MANOS.
ES LO QUE OCURRE CUANDO NO USAS LA CABEZA...
EN CAMBIO A NOSOTROS NOS VA MUY BIEN...
TÚ...

¡ME PONES ENFERMO!

FUOOOOSH
WOOOOSH

BAAAUM

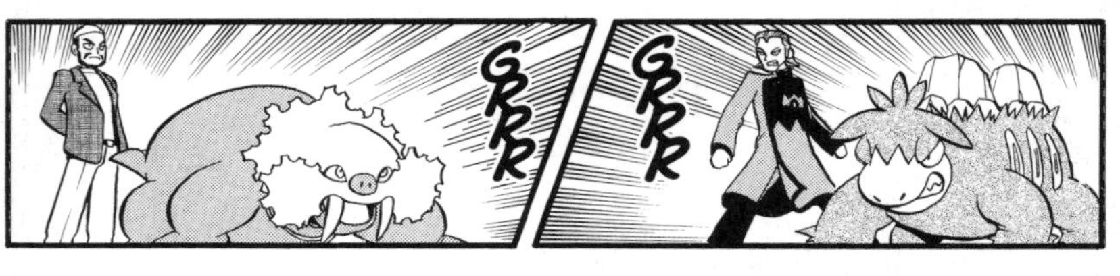
GRRR
GRRR

¡¡SI FUERAS UN HOMBRE...
...LUCHARÍAS CUERPO A CUERPO!!

POR SUPUESTO...
NO PIENSO PERDER, ¿SABES?

Hoenn TV

¡¡CAMERUPT!!
¡¡WALREIN!!

ZAAAM
GRAARG
BOM

CRAC

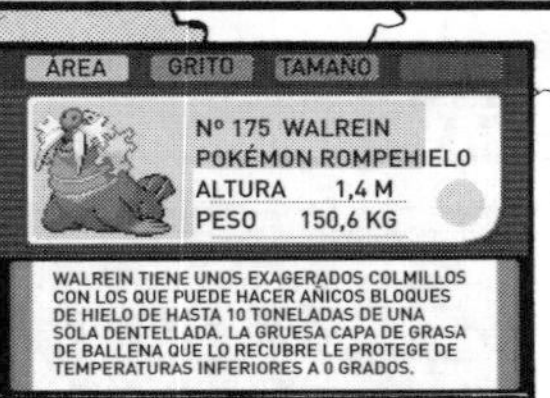
ÁREA GRITO TAMAÑO
Nº 175 WALREIN
POKÉMON ROMPEHIELO
ALTURA 1,4 M
PESO 150,6 KG
WALREIN TIENE UNOS EXAGERADOS COLMILLOS CON LOS QUE PUEDE HACER AÑICOS BLOQUES DE HIELO DE HASTA 10 TONELADAS DE UNA SOLA DENTELLADA. LA GRUESA CAPA DE GRASA DE BALLENA QUE LO RECUBRE LE PROTEGE DE TEMPERATURAS INFERIORES A 0 GRADOS.
JU, JU, JU... LOS COLMILLOS DE WALREIN SON CAPACES DE REDUCIR UN ICEBERG DE 10 TONELADAS DE UNA DENTELLADA.

¡DE SUS COLMILLOS EXHALA UN AIRE HELADO QUE CONGELA A SUS OPONENTES!

¡¿AIRE HELADO?! ¡BAH!
¡CONTRA EL ESCUDO MAGMA DE CAMERUPT NO HAY HIELO QUE VALGA!

¡Y ADEMÁS...!

¡¡NO...!!

¡¡HE DEJADO QUE ATACARAS POR LA ESPALDA!!
¡¡TU WALREIN HA CLAVADO LOS COLMILLOS TAN PROFUNDAMENTE QUE NO PUEDE MOVERSE!!

¡¡AHORA, CAMERUPT!! ¡¡ESTALLIDO!!

BOOM

BRRRRROM
¡¡NO PUEDO CREERLO!!
POM
¡¡TENGO QUE HABLAR DIRECTAMENTE CON EL DIRECTOR DE LA CADENA!!
¡¿QUÉ ESTÁS DICIENDO?! ¡¡SON VUESTROS PROGRAMAS DE TELEVISIÓN LOS QUE NO ESTÁN EMITIENDO NADA!!
¡¡AL CONTRARIO, A NOSOTROS NOS GUSTARÍA QUE TODO EL MUNDO SE ENTERARA DE ESTO!!

SCRACH SCRACH
NOS HEMOS SEPARADO DE RUBÍ PORQUE NECESITABA VERLO EN PERSONA...
CONOCIENDO A GABI NO HABRÁ MANERA DE QUE LO DEJE... PERO ESTO ME DA MALA ESPINA...

BAAAUM
?!

QU... ¡¿QUÉ?! ¡¡¿QUÉ HA SIDO ESO?!!
SCREEECH

¡¡GABI, ATRÁS!!

!!

¡¡EL HOMBRE DEL UNIFORME ROJO!!

¡¿Y ESE NO ES...
...EL DIRECTOR?!

HE PERDIDO...

ESO ES LO QUE TE GUSTARÍA OÍR, ¿NO? UNA PENA...
FUH
...PERO MI WALREIN TAMBIÉN TIENE LA HABILIDAD SEBO

Y PUEDE SOPORTAR LLAMARADAS SIN INMUTARSE.

...

FIU
MIRA, AQUILES.

ESTOY SEGURO DE QUE SABES QUE NOS HEMOS HECHO CON EL SUBMARINO.
...

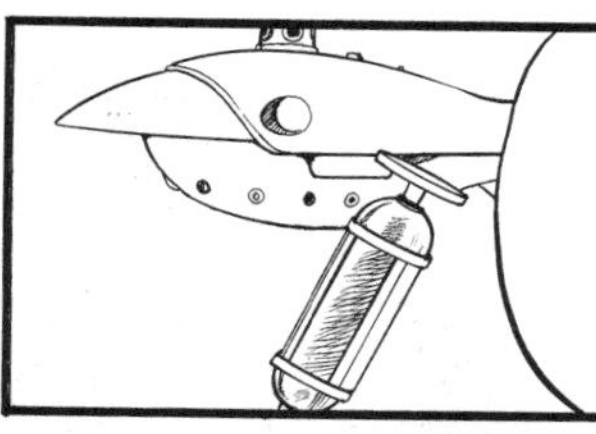
PERO EL COMPONENTE ESPECIAL DE ARRANQUE LO TIENE EL EQUIPO AQUA.

ASÍ ES...
A VOSOTROS EN CAMBIO OS FALTA EL SUBMARINO, SIN ÉL LA PIEZA NO SIRVE DE NADA...

SUPONGO QUE NO...
LOS DOS QUEREMOS LLEGAR A LA CAVERNA ABISAL,
Y PARA SER SINCEROS, AMBOS NOS ESTAMOS PONIENDO DE LOS NERVIOS.

¿ADÓNDE QUIERES IR A PARAR?

POR SUPUESTO, SOMOS ENEMIGOS...
SHUUU

¿PERO POR QUÉ NO NOS ALIAMOS TEMPORALMENTE?

OS DEJAMOS SUBIR A BORDO DEL SUBMARINO EXPLORADOR 1.
NOS DAMOS UNA TREGUA HASTA LLEGAR AL FONDO DEL MAR...

...Y POR SUPUESTO...

...UNA VEZ LLEGUEMOS A LA CAVERNA ABISAL CONTINUAMOS CON LA GUERRA.

...

¡SIN... OBJECIONES!
SHUUU

GRRR
GRRR

EL DIRECTOR...
HACIENDO NEGOCIOS CON EL EQUIPO MAGMA...
SI EL EQUIPO AQUA HA ROBADO EL COMPONENTE ESPECIAL DE ARRANQUE...
ENTONCES EL DIRECTOR ES... ¡NO PUEDE SER!
¡¡DIRECTOR!!
MMMFFF MMMFFF
¡¡GABI, DÉJALO!!

¡¿NO VES QUE ES PELIGROSO?!
BRRROOOM
¡CÁLMATE!

ES...
ESTO ES TERRIBLE...

CAPÍTULO 141: Contra Masquerain

AGH
ARF
ARF
BRRROOOM
ARF
ES...
ESTO ES TERRIBLE...
AH

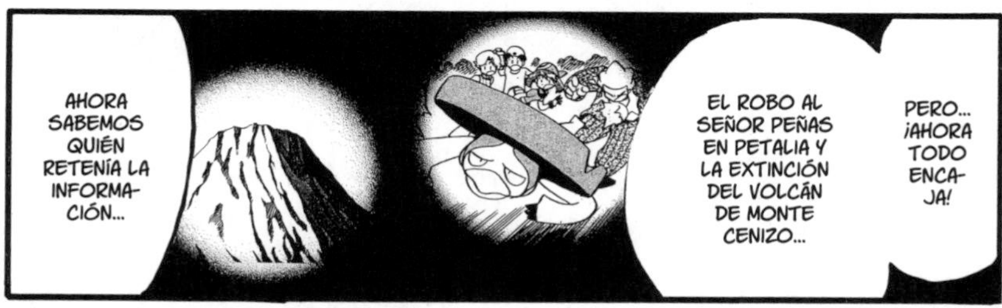
PERO... ¡AHORA TODO ENCAJA!
EL ROBO AL SEÑOR PEÑAS EN PETALIA Y LA EXTINCIÓN DEL VOLCÁN DE MONTE CENIZO...
AHORA SABEMOS QUIÉN RETENÍA LA INFORMACIÓN...

¡ERA ÉL!
¡¡HA ESTADO OCULTANDO SUS CRÍMENES!!

TE... ¡¡TENEMOS QUE IR TRAS ÉL!!
¡NO! ¡PRIMERO A LA EMISORA! ¡¡PUEDE HABER PRUEBAS QUE LO INCRIMINEN...!!
EEEH... ¡NO! ¡¿QUÉ HACEMOOOS?!

¡¡¡NINGUNA DE LAS DOS COSAS, GABI!!!
CHAC

¡¡SI LO ALCANZAMOS, ¿QUÉ CREES QUE PASARÍA?!!
¡YA HAS VISTO LO FUERTE QUE ES! ¡¡NO PODEMOS ENFRENTARNOS A ÉL!!

¡¡Y VOLVER A LA EMISORA ES AÚN MÁS PELIGROSO!!

¡NUESTRO ENEMIGO TIENE A SU DISPOSICIÓN TODO EL PODER DE LOS MEDIOS DE COMUNICACIÓN!

DENTRO DE LA CADENA PUEDE TENER CÓMPLICES INFILTRADOS.

¡¡NO SABRÍAMOS EN QUIÉN CONFIAR!!

¡¿PERO
QUÉ PO-
DEMOS
HACER?!
¡¡CÁL-
MATE!!
NO PODE-
MOS VOLVER Y
NO TENEMOS
FUERZA PARA
PELEAR...
ÑUC
¡¡SOLO
PODEMOS
HACER UNA
COSA!!

¡¡IN-
FORMAR
DE LO
OCURRI-
DO!!
¡¡AVISAR A
LOS QUE
PUEDEN
COMBA-
TIRLOS!!
¡¡LOS
LÍDERES
DE GIM-
NASIO Y
RUBÍ!!

CIUDAD ARBORADA.
¡¡UOOOOOH!!
FLAP FLAP FLAP
FLAP FLAP
FOASH
¡¡CHIC!!
¡¡ASCUAS!!
¡¡DOBLE PATADA!!
BAM
FAH
¡¡PATADA ÍGNEA!!
BAUM

¡GRRRRR! SERÁ IDIO-TAAAA
BUFFF
BUFFF
BUFFF
POM
DASH
¡OTRA VEZ!
FAH
¡¡MAES-TRA!!
ZA... ¡ZAFIRO! ¡¿PERO QUÉ HACES CON ESAS PIN-TAS...?!
ARF
AGH
BUF
¡¡SIGAMOS CON EL ENTRENA-MIENTO!!
¡¡MAESTRA, MÁS ENTRE-NAMIENTOOO, RÁPIDOOO!!
PE... ¡¿PERO QUÉ TE HA PASA-DO?!

¡¡LO SIENTO, PERO NECESITO ENTRENAR MÁS!!
VA... ¡VALEEE!
¡¡MASQUERAIN!!
¡¡BEAUTIFLY!!
¡¡SWABLU!!
¡RONO!
¡¡PILO!!
¡DONO!
WOOOSH
PAAAM
BOOOOM

¡¡ESO ES!!
¡¡CON QUÉ RABIA RESPONDE!!
¡¿QUÉ HACES?! ¡¡PREPÁRATE PARA MI MOVIMIENTO!!
¡¡MASQUERAIN, PARALIZADOR!!
¡¡SWABLU, ATAQUE FURIA!!
¡¡BEAUTIFLY, REMOLINO!!
¡¡WAAAAAAH!!
ZOOO

¡¡RONO, PILO, GOLPE AÉREO!!
ZUM
DONO...
¡¡TUMBA ROCAS!!
BOM
CRAC CRAC CLONC CLONC
ARF
BUF
AH
INCREÍBLE...
COMBATES COMO SI LA IRA TE PROPORCIONARA LA ENERGÍA.

¿QUERÍAS MOSTRARME TU CAPACIDAD PARA COMBATIR...?

¡HUMPF!

YA VEO. ME ALEGRO...
ENTIENDO QUE QUIERES SUMAR TUS FUERZAS Y AYUDAR A LOS LÍDERES DE GIMNASIO EN ESTE MOMENTO DE NECESIDAD.

SI COMBATES CON ESTE MISMO PODER...
...NO HAY RAZÓN PARA NO ENTREGÁRTELA.

¡CONFÍO EN TI!
¡GRACIAS!

YO ME QUEDARÉ EN LA TORRE DE CONTROL.
PUEDES DORMIR EN LA TORRE DE ALOJAMIENTO.
...

MIEN-
TRAS
TANTO,
RUBÍ...

¡¡UGH!!
CRAC

LA HE
FASTI-
DIADO...

AL VER QUE
EN ESE MO-
MENTO LOS
GRUMPIG LA
ACORRALA-
BAN...
HE
ACTUADO
SIN PEN-
SAR...

HE COMBATIDO,
NANA. HE REVELADO
TODO LO QUE
QUERÍA OCUL-
TAR. COCO...
QU...
¿QUÉ
ES LO
QUE HE
HECHO?

¿MU-
MU?
BRRR
BRRR

BLUB BLUB
BLUB

FLAASH
FLASH

HAS EVOLUCIONADO...
...A SWAMPERT.
ÁREA GRITO TAMAÑO VOLVER
Nº 009 SWAMPERT
POKÉMON PEZ LODO
ALTURA 1,5 M
PESO 81,9 KG
SWAMPERT PUEDE PREDECIR TORMENTAS AL PERCIBIR CON LAS ALETAS LOS SUTILES CAMBIOS QUE PRODUCEN LAS OLAS Y LAS CORRIENTES. SI ESTÁ A PUNTO DE ESTALLAR UNA TORMENTA, EMPEZARÁ A APILAR PIEDRAS PARA RESGUARDARSE.

JU...
JU, JU...

...CLARO...
ZAS
¡¡GOOOH!!
¿NO TE ACUERDAS?
GLUPS
NO HABÍA CAÍDO EN LA CUENTA, PERO HEMOS PARTICIPADO EN COMBATES MUY DUROS...

ME HE DES-
CUIDADO Y MIS
REFLEJOS
DE COMBATE
HAN VUELTO
SIN QUE ME
DIERA CUENTA.

ZUUUM

¡MAES-
TRO...!

CLAC

TAP
TAP
TAP

ALANA...
¡PLUBIO!
¿QUÉ
HA PASA-
DO?

HE ESTADO INVESTIGANDO
EL NIVEL DE HUMEDAD
EN LA ATMÓSFERA. TAL
COMO PENSÁBAMOS,
LA INTERRUPCIÓN DEL
VOLCÁN HA AFECTADO
AL EQUILIBRIO
NATURAL.
YA VEO.

¿QUÉ OCURRE?
...

!!
PERDÓN POR METERME DONDE NO ME LLAMAN, PERO ME PREOCUPA LA UNIDAD DE LOS LÍDERES DE GIMNASIO ANTE LA CRISIS.

¡¿TIENES ALGÚN PROBLEMA CON MI LIDERAZGO?!

NO, ALANA, CREO QUE LO ESTÁS HACIENDO BIEN.

PERO COORDINAR A UN GRUPO CON PERSONALIDADES TAN DIFERENTES ES DIFÍCIL.

¿NO SERÍA MEJOR QUE CONFIARAS EN ALGUIEN, EN LUGAR DE CARGAR TÚ SOLA CON TODO EL PESO?
CHAC

¡LA ASOCIACIÓN ME HA ELEGIDO A MÍ PARA DIRIGIR A LOS LÍDERES DE GIMNASIO!
PAH
¡ES MI RESPONSABILIDAD!

¡NO VUELVAS A DIRIGIRTE A MÍ DE ESE MODO!

YA NO TENEMOS ESE TIPO DE RELACIÓN...
NO SÉ DE QUÉ ESTÁN HABLANDO, PERO LA COSA PARECE BASTANTE SERIA...
ES CIERTO...
TODO HOENN ATRAVIESA UNA GRAVE CRISIS.
¡VAN A NECESITAR LA AYUDA DE OTRAS PERSONAS!
¡Y, POR SUPUESTO, PUEDEN CONTAR CON LA MÍA!
TODOS LOS QUE SE HAN REUNIDO EN ESTE LUGAR PIENSAN COMBATIR, INCLUIDO MI MAESTRO...

AQUÍ NO PINTO NADA...
NO SOY MÁS QUE UN ESTORBO PARA ELLOS.

MAESTRO, LO SIENTO...
SOY UN INTRUSO, LE HE OBLIGADO A TOMARME COMO APRENDIZ...

¡¡NO VUELVAS...

...A CRUZARTE EN MI CAMINO!!

¡¡TENGO...
...QUE MARCHARME DE AQUÍ!!

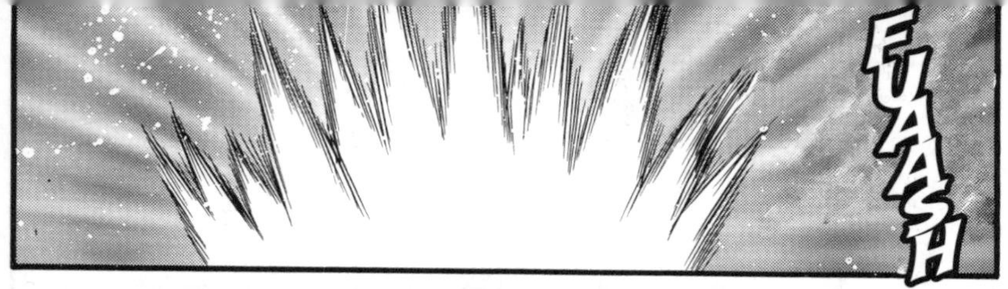
FUAASH

SPLASH
SPLASH
SPLASH
SPLASH

BUFFF
CLAC

SPLASH
SPLASH

SPLASH
SPLASH
SPLASH
SPLASH

SPLASH
SPLASH
SPLASH
SPLASH
SPLASH
!!

¡¡RUBÍ!!

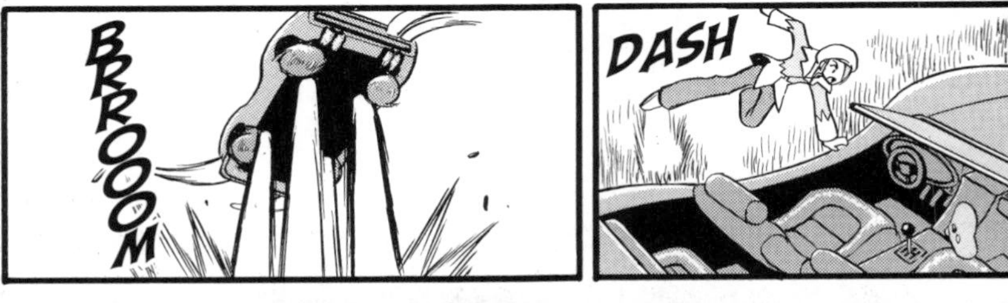
DASH
BRRROOOOM

ZUUUUUM

SPLASH
SPLASH
SPLASH
SPLASH

SPLASH
SPLASH...

ZUUU

SE HA INTERNADO EN LA JUNGLA, ALLÍ NO PUEDO SEGUIR SU RASTRO...

PARECÍA QUE LE PASABA ALGO...
¿ADÓNDE SE DIRIGIRÁ? SUPONGO QUE...

SI YA HA PARTICIPADO...
...EN EL NIVEL NORMAL Y ALTO, AHORA IRÁ A POR EL AVANZADO.

FIIIIIU
¡ESO ES EN CIUDAD PORTUAL!

¡¿EH?!
FIUUU

¡¡¿PERO QUÉ HA OCURRI-DO?!!
¡29 DÍAS PARA CUMPLIR EL RETO!

MAPA DE LA AVENTURA

ZAFIRO

CHIC
BLAZIKEN ♀
NV. 39

RONO
LAIRON ♂
NV. 41

WALO
WAILORD ♂
NV. 47

DONO
DONPHAN ♂
NV. 47

PILO
TROPIUS ♂
NV. 46

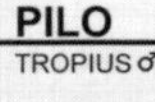

Ruta

ZAFIRO	RUBÍ
DESFILADERO	PUEBLO PARDAL
RUTA 111	RUTA 111
CIUDAD ARBORADA	CIUDAD ARBORADA

RUBÍ

MUMU
SWAMPERT ♂

NANA
MIGHTYENA ♀

COCO
DELCATTY ♀
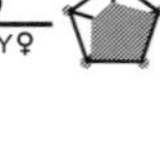

MIMI
FEEBAS ♀
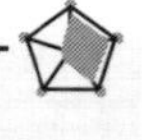

POPO
CASTFORM ♀
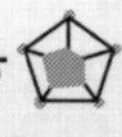

FÉRRICA	AZULIZA	MALVALONA	LAVACALDA
	 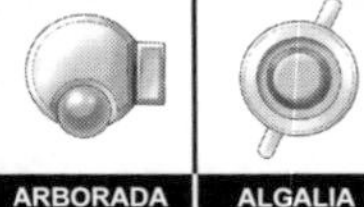	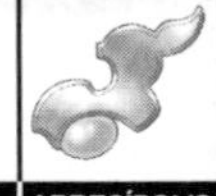	
PETALIA	**ARBORADA**	**ALGALIA**	**ARRECÍPOLIS**
		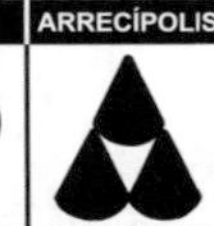	

	CARISMA	BELLEZA	DULZURA	INGENIO	DUREZA
NORMAL					
ALTO					
AVANZADO					
EXPERTO					

CAPÍTULO 142:
Contra Whiscash

JUSTO CUANDO RUBÍ DEJABA CIUDAD ARBORADA...

¡¡...UN TERRIBLE TSUNAMI GOLPEABA LA COSTA!!
¡¡LAS GIGANTESCAS OLAS CASI SUMERGEN LA CIUDAD POR COMPLETO!!

COSTA DE CIUDAD CALAGUA.
GUARIDA DEL EQUIPO AQUA.
¡DESPUÉS DE NUESTRA INTERVENCIÓN EN EL VOLCÁN
EL ASCENSO DEL NIVEL DEL MAR ES DE LO MÁS SATISFACTORIO!
¡EL 40 POR CIENTO DE CIUDAD PORTUAL SE HA INUNDADO!
¡VILLA RAÍZ Y AZULIZA ESTÁN AL 20 POR CIENTO!
¡ESTUPENDO!
FLOOOOSH
HMMM... ¿YA ESTÁN AQUÍ?
FUAAAASH

SIENTO EL RETRASO, AQUILES.

POR FIN, LÍDER. ENTONCES...

...EN CUANTO PISEMOS LA CAVERNA ABISAL...

MATÍAS...
¿DE VERDAD CREES QUE PUEDES PARTICIPAR EN ESTA OPERA-CIÓN?
AH, ¿LO DICE POR MI HERIDA?
NO SE PREO-CUPE, YA CASI ESTOY RECUP...
!!
BAM

POR SUPUESTO, ME REFIERO A TU ERROR EN EL MONTE CENIZO.
DARÉ INSTRUCCIONES PARA QUE SE TE CASTIGUE COMO CORRESPONDE.
AMBER BAJARÁ CONMIGO A LA CAVERNA ABISAL.
...
¡HUMF!

¡UUUH! ¡QUÉ MIEDITOOO!

¡TRÁELO!

CLAC

FLOASH
¡COMPO-
NENTE ES-
PECIAL DE
ARRANQUE
ACTIVADO!
¡MODO
ABISAL!
FLOASH
SPLASH
¡¡SUBMARINO
EXPLORADOR 1,
PARTIMOS
HACIA EL
FONDO DEL
MAR!!
BRROAASSH

CIUDAD PORTUAL.
¡¡¿PERO QUÉ HA OCURRIDO?!!
¡LA MITAD DE LA CIUDAD SE ENCUENTRA SUMERGIDA!
¡¡NADIE HA SIDO CAPAZ DE PREVERLO!!
¡DEBE DE ESTAR RELACIONADO CON LA BAJADA DE LAS TEMPERATURAS PROVOCADA POR LA INTERRUPCIÓN DE LA ACTIVIDAD VOLCÁNICA!
¡¿PERO CÓMO HA PODIDO OCURRIR EN UNA SOLA NOCHE?!
LA SITUACIÓN ES MUCHO PEOR DE LO QUE PENSÁBAMOS.
¡¿EH?!
¡¡OH, NO!!
¡¡CHARLES!!
¡¡PHILIPE!!

SPLASH

NO DEBO PERDER DE VISTA A RUBÍ...

¡LA PRIORIDAD ES SALVAR A LA GENTE DE LA CIUDAD!
PERO...

¡TRANQUILO, YA TE TENGO!

¡EEEH! ¡OYEEE!
¡¿NO VES QUE TE ESTÁS HUNDIENDO?!
BLURB BLURB
SPLASH
NIVEL AVANZA...!!
BLORB BLORB
¡¡BIENVENIDOS A LA NUEVA EDICIÓN DEL CONCURSO POKÉMON DE CIUDAD PORTUAL...

Concurso Pokémon

¡¡PERO HOMBRE, ¿A QUIÉN SE LE OCURRE?!! ¡¡EN ESTAS CONDICIONES ES ABSURDO SEGUIR CON EL CONCURSO!!
QU... ¿¿QUÉ DICE?!

¡¡LLEVO 15 AÑOS PRESENTANDO CARRERAS DE BICIS, COMPETICIONES DE SURF Y TODO TIPO DE CONCURSOS, Y MI COMPROMISO SIEMPRE HA SIDO INQUEBRANTABLE!!

Concurso Po
¡YO NO ABANDONO TAN FÁCILMENTE!
¡Y MENOS HOY, QUE ESTAMOS DE ANIVERSARIO Y SE CELEBRA LA EDICIÓN 1.500 DE LOS CONCURSOS DE CIUDAD PORTUAL...!

¡¿QUÉ ANIVERSARIO NI QUÉ ANIVERSARIO?!
¡¿ACASO VES PARTICIPANTES O PÚBLICOOO?!

¡NO VA A APARECER!
CREÍA QUE EL CHAVAL VENDRÍA A PARTICIPAR EN EL CONCURSO...

¡QUERÍA ASEGURARME DE RECUPERAR A ESE FEEBAS!

¡HABÍA VENIDO EXPRESAMENTE PARA ESO!

PERO CON ESTAS INUNDACIONES...
CHOF CHOF

¡¡PERO SI ESTÁ AQUÍÍÍ!!

¡PARECE QUE HA GANADO UN MONTÓN DE CONCURSOS!
¡TODOS TIENEN CINTA DE GANADOR!

ME GUSTARÍA REGISTRARME EN LA CATEGORÍA DE BELLEZA.
MU... MUY BIEN.

BUFFF

¡¡NO VUELVAS...

...A CRUZARTE EN MI CAMINO!!

MA... ¡¡MALDICIÓN!!
OIGA, DISCULPE... ¡DISCULPE!
¿EH? ¡SÍ! QU... ¡¿QUÉ OCURRE?!
¿QUÉ POKÉMON PIENSA PRESENTAR?
EH.... ¡MIMI!
¡¿DÓNDE ESTÁS, MIMI?!

FLUS
FLUS

GRRR

¡¿QUÉ ESTÁS HACIENDO, MIMI?!
¡¡¿POR QUÉ NO ESTABAS A MI LADO?!!

?
QUÉ COMPORTAMIENTO MÁS EXTRAÑO. PARECE QUE LO TIENE TODO BAJO CONTROL Y DE PRONTO EXPLOTA DE UNA MANERA...
¿LE HABRÁ PASADO ALGO?

¡PRIMERA RONDA DE LA CATEGORÍA DE BELLEZA, DONDE SE VOTA AL POKÉMON MÁS POPULAR "POR APARIENCIA"!
RECEPCIÓN
¡HOY NO DISPONEMOS DE JURADO QUE PUEDA VOTAR, POR ESO NOSOTROS MISMOS PASAMOS A SER MIEMBROS DEL JURADO!
¡¡PERO SI NO HAY MÁS CONCURSANTES...!! ¡¡QUE ME DEN DE UNA VEZ LAS CINTAS!
GRRR
GRRR
¡VOTACIÓN COMPLETADAAA! ¡¡EL PRIMER PARTICIPANTE ES MIMI, LA FEEBAS DE RUBÍ!!

¡Y ESTE PARTICIPANTE HA RECIBIDO
0 VOTOS!

¡TODOS LOS VOTOS HAN IDO A NUESTRO CONCURSANTE DE ÚLTIMA HORA!
¡UAH!
NUEVO CONCURSANTE
NUEVO CONCURSANTE
¡¿OTRO CONCUR-SANTE?! ¿PERO CUÁN-DO...?
ZUA
ZUA
ZUA
!!
ESA CORTINA DE AGUA NO ME DEJA VER.
¿QUIÉN SERÁ?
¡CONTI-NUAMOS CON LA SEGUNDA RONDA! ¡LA EXHI-BICIÓN DE MOVI-MIEN-TOS!
¡¡HIDRO-PULSO!!
¡¡SURF!!
¡OOOH! ¡Y NUESTRO CONCUR-SANTE DE ÚLTIMA HO-RA VUELVE A ARRASAR!
PARTICIPANTE
PARTICIPANTE
¡¡RUBÍ HA VUELTO A QUEDAR ECLIP-SADO!!

¡PERO BUENO! ¡¿QUÉ PASA?! ¿ES QUE NI SIQUIERA PUEDES MOSTRARTE ATRACTIVA EN UN CONCURSO CON DOS PARTICIPANTES?!
¡¿QUÉ TE PASA, MIMI?!!
¡¡ESTÁ CLARO QUE NO ERES SUFICIENTEMENTE BUENA PARA FORMAR PARTE DE MI EQUIPO!!
¡¡TENDRÍA QUE HABER BUSCADO UN POKÉMON CON DOTES PARA LOS CONCURSOS!!

¡¡COMO ESTE!!
PAH

¡¿QUÉ...?! ¡¿QUÉ PASA?!

!!
SPLOSH
¡¡MAES-
TRO!!
¡EEEH!
¡EEEH!
¡QUE NO
HEMOS
ACABADO
EL CON-
CURSO!
¡UAAAH!
FUI
CHAC

CO... ¡¿CÓMO?! ¡¿EL OTRO CONCURSANTE ERA USTED?!
PE... ¡¿PERO POR QUÉ?!

¡NO ES JUSTO!
¡¿HA VENIDO DETRÁS DE MÍ SOLO PARA HACERME PERDER?!

...

SPLASH

¡TRANQUILÍZATE!
¡NO SÉ QUÉ TE HA PASADO EN ARBORADA, PERO HACÉRSELO PAGAR DE ESE MODO A TU POKÉMON ES CAER MUY BAJO!
SPLASH
¡UAH!
¡¡Y AÚN PEOR...
...ECHARLE LA CULPA DE TU INCAPACIDAD COMO ENTRENADOR!!
¿NO CREES QUE HAY ALGO MÁS IMPORTANTE QUE PERDER EL TIEMPO DISCUTIENDO CONMIGO...
...O MONTANDO JALEO POR EL CONCURSO?

MIMI...
¡¡MIMI!!
SPLASH
BRRRRUUUM
¡LA INUNDACIÓN VA A PEOR, LOS EDIFICIOS ESTÁN EMPEZANDO A DERRUMBARSE!
¡SERÁ MEJOR QUE HUYAMOS!

¡LO SIENTO! ¡PERDÓNAME!
¡MIMI!
PLAS
PLAS
¡¡NO ERA MI INTENCIÓN!!

¡¡MIMI!!

CAPÍTULO 143:
Contra Kyogre y Groudon I

BRROOOOM
¡¡MMM!!
¡¡MMM!!
...
¡¿QUÉ HACES AHÍ PASMADO?! ¡¡¿NO VAS A AYUDAR AL CHICO?!!
CLONC
CLONC
¡¡UGH!!

¡¡PUES LO SALVO YO!!
POM
¡¡GYARATON!!
¡¡CHICO, TRANQUILO!! ¡¿QUIERES AHOGARTE?!
¡¡SUÉLTAME!! MI... ¡¡MIMI...!!
CREEEC
CRAS
¡¡OH, NO!!
AH... AAAH
BRRRRUUUM
AH...
ZUUUUM
MI...
MI...
MIMI...

RURRR
ZUUUUM

NO CREO QUE VAYA A VOLVER.

¡Y LA CULPA LA TIENES TÚ, RUBÍ!
HAS HERIDO A ESA FEEBAS.

PERO LA COSA VIENE DE LEJOS...

¡RECUÉRDALO, RUBÍ!

EN PUEBLO PARDAL, ME RETASTE AL AIRE LIBRE...

¡...PERO NO DEJASTE QUE TU FEEBAS PARTICIPARA EN LA CATEGORÍA DE BELLEZA!
NO ME CONVENCE MUCHO SACAR A MIMI.
POM
POM
POM
¡Y ESO QUE ERA LA QUE SE ENCARGABA DE ESA CATEGORÍA!

PERO HAY MÁS... CUANDO AQUEL CHICO PROVOCÓ EL FUEGO...
...TU MARSHTOMP SE DIO CUENTA Y TE ENVIÓ UNA SEÑAL...
...PERO TÚ SOLO ESTABAS PENDIENTE DE VENCERME Y NI TE DISTE CUENTA...

¡¿POR QUÉ NO CONFÍAS EN TUS POKÉMON?!
¡¡NI SIQUIERA ERES CAPAZ DE ESCUCHARLOS!!

¡¡NO PIENSAS EN NADIE MÁS QUE EN TI MISMO!!
¡¡ES IMPOSIBLE QUE ALGUIEN ASÍ LLEGUE A CONVERTIRSE EN UN MAESTRO DE LA BELLEZA!!

SEÑOR MAESTRO...
...YA SÉ QUE AÚN LE QUEDAN COSAS QUE DECIR... PERO...
...EL CHICO YA NO PUEDE OÍR NADA...

PARECE QUE HA SIDO DEMASIADO PARA ÉL
Y HA PERDIDO EL CONOCIMIENTO.
SEÑOR PLUBIO, ¿HEMOS ACABADO?
SÍ, GRACIAS.
LA CINTA DE GANADOR DE LA FEEBAS DE RUBÍ.
!!
¡¿QUÉ SIGNIFICA ESTO?!
LO QUE VES: NOS HEMOS INVENTADO LO DEL PARTICIPANTE DE ÚLTIMA HORA.
RUBÍ HA GANADO EL CONCURSO.
POM
PERO NO HAY POKÉMON A QUIEN PONER LA CINTA.
YO LA GUARDARÉ.
¡¿ERA NECESARIO LLEGAR TAN LEJOS?!

...
HAY MUCHOS AFECTADOS POR LA INUNDACIÓN. DEJARÉ A RUBÍ EN EL CENTRO DE PRIMEROS AUXILIOS Y SEGUIRÉ CON LAS LABORES DE RESCATE.

NADADOR, ¿POR QUÉ NO VIENES?
SERÁ POSIBLE...

¡¡RUBÍ...!!

¡¡NO TE DAS CUENTA DE LO GRAVE QUE ES LA SITUACIÓN!!

LO SIENTO...
LO SIENTO...
LO SIENTO...
LO SIEN... TO.

FLOOOO
FLOOOASH
FROARSH
CLONC CLONC CLONC
BLURB
BLORP
BOOOR
7

¡OOOH! ¡¡ESTAMOS...
...EN LA CAVERNA ABISAL!!

¡MARAVILLOSO! ¡SOMOS LOS PRIMEROS EN PONER EL PIE EN LAS PROFUNDIDADES MARINAS DESCONOCIDAS!
¡HAY QUE RECONOCER EL INGENIO DEL CAPITÁN BABOR Y LA TECNOLOGÍA DE DEVON S.A.!

AHORA...
...QUE ESTAMOS AQUÍ MISMO... ¡¡PUEDO SENTIRLO!!

¡EL LATIDO DE LAS INUNDACIONES, LA ENERGÍA DEL MAR!

¡EL LATIDO DEL CALOR ABRASADOR, LA ENERGÍA DE LA TIERRA!

EL CAMINO SE BIFURCA.
AQUÍ NOS SEPARAMOS.

LA PRÓXIMA VEZ QUE NOS ENCONTREMOS... JU, JU, JU... VEREMOS QUIÉN ESTABA EN LO CIERTO.

¡ESO SI TIENES LA OPORTUNIDAD DE ABRIR LA BOCA!

TOMP

TOMP

TOMP
TOMP
TOMP
TOMP

TOMP
TOMP
TOMP
TOMP

¡¡OOOH!!
¡¡LO HEMOS ENCONTRADO!!
BUM
BUM
¡¡DESPIERTA, KYOGRE!!
BUM

¡¡LO HEMOS ENCONTRADO!!
¡¡UAAAH!!
BU-BUM
BU-BUM
¡¡DESPIERTA, GROUDON!!

BRRRUM
PUF PUF PUF
¡VENGA, VAMOS!
PUF PUF PUF PUF PUF
AH... ¡¿PERO QUÉ HA OCURRIDO?!
¡GABI, ASÍ VA A SER IMPOSIBLE ENCONTRARLO!
HABRÍA SIDO MEJOR IR A CIUDAD ARBORADA, DONDE VA A TENER LUGAR LA REUNIÓN DE LÍDERES DE GIMNASIO.
¡¡HEMOS VENIDO HASTA PORTUAL EN BUSCA DE RUBÍ, PERO TODA LA CIUDAD ESTÁ SUMERGIDA...!!
¿QUÉ HACEMOS? ¿CAMBIAMOS DE RUTA?
¡AUNQUE NO SÉ CÓMO VAMOS A LLEGAR HASTA ALLÍ!

NO, TEO. ¡HAY OTRA PERSONA CON LA QUE DEBEMOS REUNIRNOS!
¿EEEH?
¡AHÍ ESTÁ! ¡MIRA!
MUSEO OCEÁNICO
ES...
¡¡EL CAPITÁN BABOR!!
MU
PUF PUF PUF
¡¡CAPITÁAAN!!
AH... ¡SOIS VOSOTROS!
COF COF
COMO HABRÉIS VISTO, LA MAYOR PARTE DE PORTUAL ESTÁ SUMERGIDA...
COF COF
¿¡ESTÁ BIEN, CAPITÁN?!
ARF... AH... NO PASA NADA... TENGO ESTA TOS DESDE EL ASALTO, CUANDO NOS ASFIXIARON CON EL HUMO...
COF COF
MUÉLLEZ ESTÁ PEOR, SE ENCUENTRA INGRESADO.

CON TODO ESTE CAOS NO ES EL MEJOR MOMENTO PARA UNA ENTREVISTA.
¡NO, CAPITÁN, NO VENIMOS A ENTREVISTARLE!

¡VENIMOS A CONSULTAR SU OPINIÓN!

¡¡LA BANDA DEL UNIFORME ROJO ROBÓ EL SUBMARINO...
...Y LA BANDA DEL UNIFORME AZUL ROBÓ EL COMPONENTE ESPECIAL DE ARRANQUE!!

¡LAS DOS ESTABAN ENFRENTADAS, PERO PARECE QUE ANOCHE...!
¡¡...AMBAS UNIERON SUS FUERZAS!!

¡¡OH, NO!! ENTONCES ESO SIGNIFICA...
¡SÍ, ESO ES!

¡AHORA QUE TIENEN EL COMPONENTE ESPECIAL DE ARRANQUE...
...EL SUBMARINO EXPLORADOR 1 ES PLENAMENTE OPERATIVO!

¡¡SABEMOS QUE SE DIRIGEN A LA CAVERNA ABISAL, AUNQUE DESCONOCEMOS QUÉ SE PROPONEN HACER!!
¡¡PERO NO PUEDE SER NADA BUENO!!
¡¡CAPITÁN, DEBE DE EXISTIR ALGUNA MANERA DE DETENERLOS!!

...

PUES NO...

SI LAS DOS ORGANIZACIONES SE HAN UNIDO Y SE HALLAN EN LA CAVERNA ABISAL, ENTONCES...

ESTAMOS HABLANDO DE LA ZONA MÁS PROFUNDA DEL MAR. UNA REGIÓN INALCANZABLE PARA EL SER HUMANO...
NO PODEMOS HACER NADA.

CAPÍTULO 144:
Contra Kyogre y Groudon II

ESTAMOS HABLANDO DE LA ZONA MÁS PROFUNDA DEL MAR. UNA REGIÓN INALCANZABLE PARA EL SER HUMANO...
NO PODEMOS HACER NADA.

¡VENID!
CLAC

NO SÉ QUÉ PUEDE ESTAR OCURRIEN-DO EN LA CAVERNA ABISAL...
PERO...

...DE LO QUE ESTOY SEGURO ES DE QUE...
¡MI-RAD!

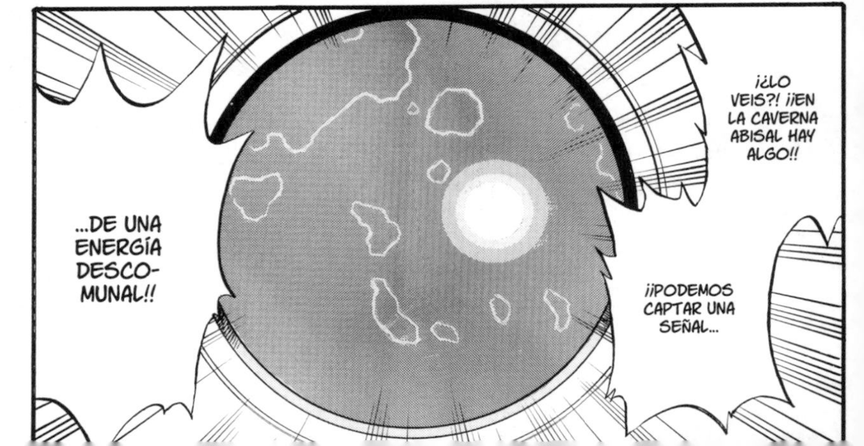
¡¿LO VEIS?! ¡¡EN LA CAVERNA ABISAL HAY ALGO!!
¡¡PODEMOS CAPTAR UNA SEÑAL...
...DE UNA ENERGÍA DESCO-MUNAL!!

¡¡UAAAAAAH!!
FLAP FLAP FLAP FLAP
FLAP FLAP
CHAC
BRAAUM
BRUUUM
ZAAAM
BRROOOM

¡¡LO HEMOS CONSEGUIDO!!
¡¡KYOGRE HA DESPERTADO!!
¡¡EL EQUIPO MAGMA AÚN NO HA CONSEGUIDO HACER LO MISMO CON GROUDON!!

JU, JU, JU... HAN INTENTADO REVIVIR A GROUDON POR TODOS LOS MEDIOS.
IMAGINO QUE HAN ESTADO PROVOCANDO TERREMOTOS PARA ESTIMULAR LA CORTEZA TERRESTRE.
¡¡PERO NO HAN CONSEGUIDO NADA EQUIPARABLE A NUESTRO ÉXITO CON EL VOLCÁN!!
¡¡AL FIN, LA ENERGÍA DEL MAR SUPERA A LA DE LA TIERRA!!

¡SI LOS DOS POKÉMON LEGENDARIOS SON EQUIPARABLES EN FUERZA, TAL COMO SE DICE EN LA LEYENDA, EL PRIMERO QUE DESPIERTE TENDRÁ VENTAJA!
¡LA VICTORIA ES NUESTRA!

CIUDAD ARBORADA.
SALA DE DATOS
QU...
¡¿QUÉ ES ESTO...?!

A... AZULIZA ESTÁ...
PORTUAL...
RAÍZ...

¡¡UN TSUNAMI HA SUMERGIDO LAS CIUDADES DE HOENN!! ¡ES UNA EMERGENCIA DE NIVEL 8! ¿¡PERO CÓMO...?!

¡ALANA, EL TSUNAMI ESTÁ RELACIONADO CON LA INTERRUPCIÓN DE LA ACTIVIDAD VOLCÁNICA!

¡Y PARECE QUE AÚN HAY PELIGRO DE QUE SE REPITA CON UNA INTENSIDAD IGUAL O MAYOR!

¡¿DÓNDE ESTÁ PLUBIO?!
LE HE ESTADO BUSCANDO, PERO...

¡¡SOY YO!!

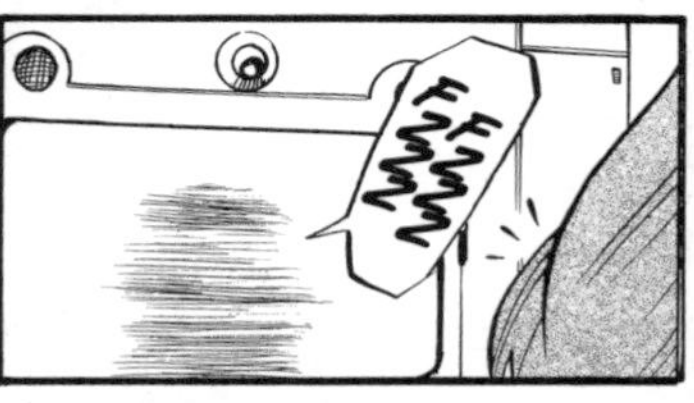

¡PRESIDENTE! ¡ESPERAMOS SUS INSTRUCCIONES!
¡¡ESTOY VALORANDO ENVIAR A LOS LÍDERES DE GIMNASIO A AYUDAR EN LAS LABORES DE RESCATE!!

...
¡QUIERO QUE ESCUCHÉIS BIEN, LA SITUACIÓN ES MUCHO PEOR DE LO QUE PENSÁBAMOS!

¡¡NUESTRO ORDENADOR ESTÁ CAPTANDO UNA ENORME ENERGÍA VITAL...
...QUE SE MUEVE POR EL MAR A UNA VELOCIDAD EXTRAORDINARIA!!
POR LO VISTO, EL TSUNAMI NO ERA MÁS QUE EL PRELUDIO DE ESO.
BRRRUUUUUAAAASH

¡PRESIDENTE! ¡LO HAN AVISTADO EN EL MAR!

YA LO HABÉIS OÍDO.

¡EMERGENCIA DE NIVEL 9!
¡ALANA, MÁXIMA DIFUSIÓN EN TODA LA REGIÓN!
¡A LA ORDEN!

¡COMUNICADO DE EMERGENCIA DE LA ASOCIACIÓN POKÉMON!
¡¡SE HA DIVISADO UN LEGENDARIO POKÉMON ANCESTRAL AVANZANDO POR MAR DESDE EL PUNTO H68, EN LA REGIÓN DE HOENN!!
¡¡¡SE TRATA DE KYOGRE!!!
¡¡SE DESCONOCE ADÓNDE SE DIRIGE!! ¡¡TODAS LAS CIUDADES DEBEN ELEVAR EL NIVEL DE ALERTA!!

FLOAAAAASH
FLAAAASH
CRAS
CRAS
BRAAAUM
CREEEC

CRAAC
CRAAS
CREEC
DIARIO
ZOOOM
FUAAASH

FUUAAASH

PLIC
PLIC
FSSSH
FSSSH
FSSSH

FAAAAASH

¡¡AHORAAAAAA!!
FWOOOOOSH
FWOOOOOSH
¡¡VENGA!!
¡¡VAMOS, OTRA VEZ!!

CHAC
CREEE
CREEEC

CRAAAC
GROOOR
BRAUUUM
BROOOOM

BRROOM
¡¡HA FUNCIONADO, TATIANO!!
ARF
BUF

LÍDER, ¿SEGURO QUE TODO VA BIEN? ¡¡LO HEMOS DESPERTADO Y SE HA HUNDIDO AÚN MÁS EN LA TIERRA!!
SÍ, TODO VA BIEN.
GROUDON SOLO ESTÁ BUSCANDO UN LUGAR APROPIADO PARA DAR RIENDA SUELTA A SU HAMBRE DE VIOLENCIA.
SE DEJARÁ VER EN LA SUPERFICIE.
¿NO QUERÉIS SABER CUÁL SERÁ LA PRIMERA CIUDAD DONDE DIGA "HOLA"?

BRAAAUUM
PARECE QUE KYOGRE HA DESPERTADO ANTES QUE GROUDON.

AQUILES DEBE DE PENSAR
QUE HABER DETENIDO LA ACTIVIDAD VOLCÁNICA HA DADO LA VENTAJA A LA ENERGÍA DEL MAR SOBRE LA DE LA TIERRA.
Y, SOBRE TODO, QUE DESPERTAR PRIMERO A KYOGRE LE HA DADO LA VICTORIA.

BONITA TEORÍA, PERO...

...NO SOSPECHA NADA...
¡TATIANO!
TRAE AQUÍ LO QUE COGIÓ BLAISE DEL MONTE PÍRICO.
FAH
¡¡VOY!!

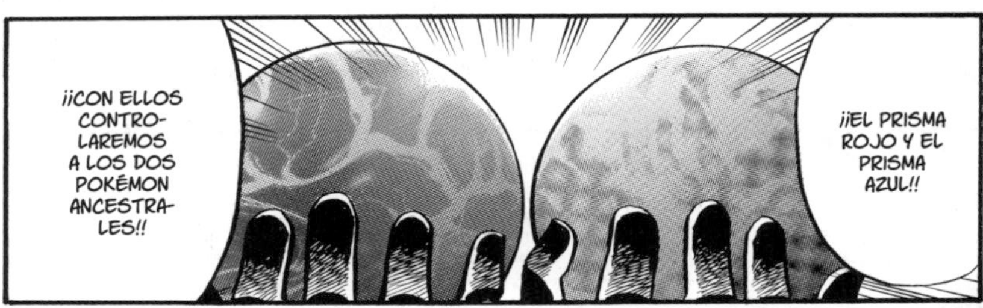
¡¡EL PRISMA ROJO Y EL PRISMA AZUL!!
¡¡CON ELLOS CONTROLAREMOS A LOS DOS POKÉMON ANCESTRALES!!

¡¡MIENTRAS ESTÉN EN NUESTRO PODER ES INDIFERENTE LO QUE PASE EN LA SUPERFICIE!!
¡¡KYOGRE Y GROUDON DEPENDEN DE MI VOLUNTAD
DESDE LA CAVERNA ABISAL!!

BRRAAAUUUM

MAPA DE LA AVENTURA

ZAFIRO

RUBÍ

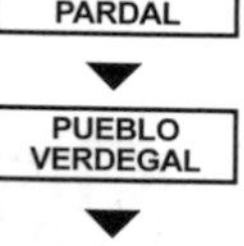

CIUDAD PORTUAL

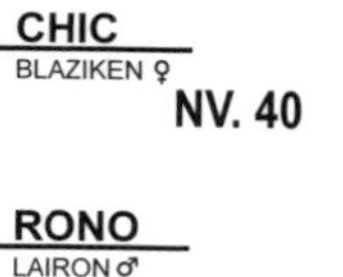

CHIC
BLAZIKEN ♀
NV. 40

RONO
LAIRON ♂
NV. 41

WALO
WAILORD ♂
NV. 47

DONO
DONPHAN ♂
NV. 48

PILO
TROPIUS ♂
NV. 46

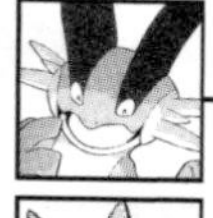

MUMU
SWAMPERT ♂

NANA
MIGHTYENA ♀

COCO
DELCATTY ♀

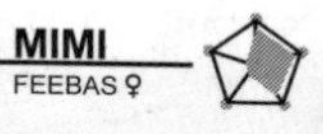

MIMI
FEEBAS ♀

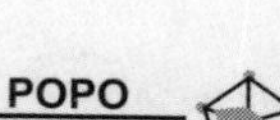

POPO
CASTFORM ♀

ERRICA	AZULIZA	MALVALONA	LAVACALDA
	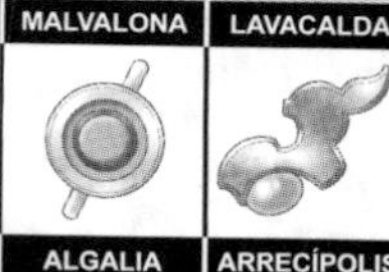		
ETALIA	ARBORADA	ALGALIA	ARRECÍPOLIS
	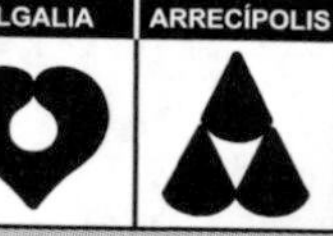		

	CARISMA	BELLEZA	DULZURA	INGENIO	DUREZA
NORMAL					
ALTO					
AVANZADO					
EXPERTO					

CAPÍTULO 145: Contra Kyogre y Groudon III

CRAAANG
CRAAAS
CRAAAC

BR
RR
RR
RM
MM
MM

SHOOO
SHUUU

CIUDAD ARBORADA.
BUFFF, QUÉ CALOR...
MENUDO CAMBIO DE TIEMPO MÁS BRUSCO.
FRRRA AAAAAS

LAS HOJAS... LOS ÁRBOLES...
¡¿SE ESTÁN VOLATILIZANDO?!
¡¡EL CALOR SUBE DEL SUELO!!
ARF
AGH
BUF
¡TENGO QUE INFORMAR A MI MAESTRA!
!!

PE... ¡¿PERO QUÉ HA OCURRIDO?!
¡¡EL RÍO Y EL BOSQUE SE HAN SECADO POR COMPLETO!!
¡OH, NO! ¡AZULIZA ESTÁ SUMERGIDA! ¡TENGO QUE...!
¿QUÉ OCURRE, PRESIDENTE?
AÚN NO HE ACABADO...
SALA DE DATOS
¡¿HABRÁ SIDO EL POKÉMON ANCESTRAL?!
¡¡ESPERA, MARCIAL!!
¡¡PARECE QUE LA ENERGÍA VITAL DETECTADA POR NUESTROS MONITORES...
...NO PERTENECE A UN SOLO ORGANISMO!!

BRRRMMM
¡¡¿QUÉ OCURRE?!!
¡UH!
¡ALANA! MIRA...
BKKOOOM
¡¡ES...!!

¡¡UNA TREMENDA OLA DE CALOR!! ¡¡LA TEMPERATURA DE LA SUPERFICIE HA SUBIDO TANTO QUE
TODA LA VEGETACIÓN SE ESTÁ CONSUMIENDO!!

¡ES ABSURDO! ¡¡PERO SI PLUBIO ME HABÍA INFORMADO HOY MISMO DE NIVELES EXTRAORDINARIOS DE HUMEDAD EN EL AIRE!!

¡¡ADEMÁS, EL OTRO ORGANISMO ESTÁ LIBERANDO UN ENORME CALOR A MEDIDA QUE AVANZA BAJO TIERRA!!

¡¡SI MANTIENE EL RUMBO ALCANZARÁ EL SUBSUELO DE CIUDAD ARBORADA!!

¡¡LAS ÁREAS INVADIDAS POR LA SEQUÍA Y LAS ÁREAS INUNDADAS SE ESTÁN EXPANDIENDO RÁPIDAMENTE!!
PRESIDENTE...

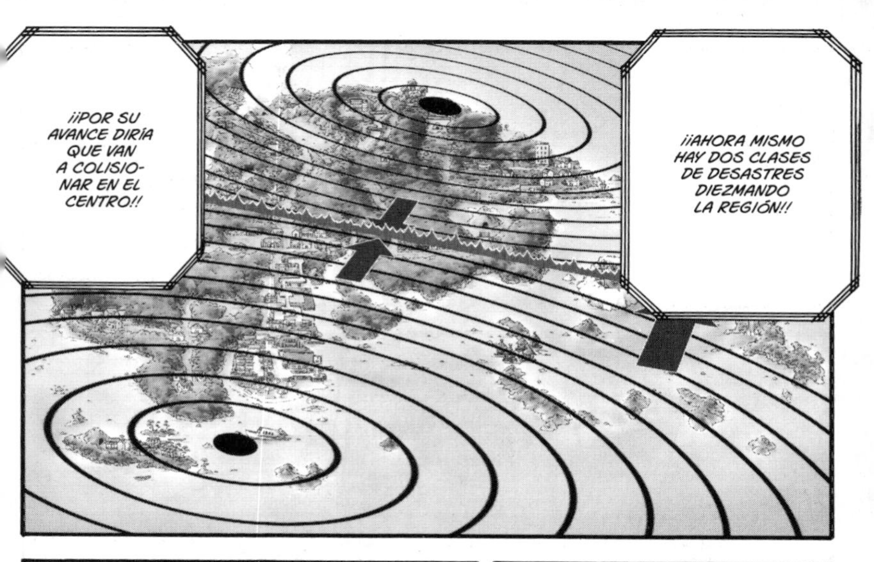
¡¡AHORA MISMO HAY DOS CLASES DE DESASTRES DIEZMANDO LA REGIÓN!!
¡¡POR SU AVANCE DIRÍA QUE VAN A COLISIONAR EN EL CENTRO!!

¡OH, NO...!

LÍDERES DE GIMNASIO...

OS ENCOMIENDO LA SIGUIENTE MISIÓN...

¡¡MARCIAL Y PETRA, IRÉIS A LAS ÁREAS DE SEQUÍA!!
¡¡ERICO Y CANDELA, A LAS ZONAS INUNDADAS!!

¡¡DEBÉIS ESCOLTAR A LOS DAMNIFICADOS HASTA UN LUGAR SEGURO Y DETENER EL AVANCE DE ESTOS DOS DESASTRES NATURALES!!

¡¿UN LUGAR SEGURO?!
¡¿ACASO HAY ALGUNO?!

¡ERICO!
SOLO HAY UN LUGAR AL QUE PODEMOS EVACUAR A LOS HABITANTES DE HOENN...

LA CIUDAD QUE SE EXTIENDE BAJO MALVALONA...
¡¡MALVALANOVA!!

ORIGINALMENTE MALVALANOVA ERA UN INMENSO PARQUE DE ATRACCIONES EXCAVADO A VARIOS NIVELES BAJO TIERRA...
¡¡AHORA PODEMOS UTILIZARLO COMO REFUGIO!!

¡MARCIAL, ENTIENDO QUE TE PREOCUPES POR TU CIUDAD,
PERO NECESITAMOS A TODOS LOS LÍDERES DE GIMNASIO DE LA REGIÓN!

ENTENDIDO.

¡¡TODOS LOS MIEMBROS LLEVA-RÁN UN POKÉGEAR OPERATIVO COMO TRANSMISOR, Y LA SUPER BALL ASIGNADA OFI-CIALMENTE!!
¡EVALUARÁS LA SITUACIÓN EN EL CENTRO DE HOENN, DONDE CON-FLUIRÁN AMBOS DESASTRES NATURALES, Y TE ENCAR-GARÁS DE DAR INSTRUC-CIONES!
¡TÚ ASUMI-RÁS EL MANDO!
¡¿Y YO, PRESI-DENTE?!
PLUBIO ESTÁ ACTUANDO POR SU CUENTA, CONTACTA CON ÉL Y DILE QUE VUELVA A ARBORADA.
¡¡PONGO TODAS MIS ESPE-RANZAS EN VOSO-TROS!!
¡¡ENTEN-DIDO!!
AAAH... ¡HASTA LUEGO!
¡¡HASTA LUEGO, ZAFIRO!!

BUENO, ZAFIRO, TENE-
MOS COSAS
QUE HACER.
S... ¡SÍ!

¡AQUÍ LA ASOCIACIÓN POKÉMON! ¡¡EVACÚEN TODAS LAS CIUDADES Y PUEBLOS!!

¡EL NIVEL 9 DE EMERGENCIA CONTINÚA! ¡TO-DO EL MUNDO DEBE ACUDIR AL REFUGIO DE MALVALANOVA!

REFUGIO DE EMERGENCIA MALVALANOVA

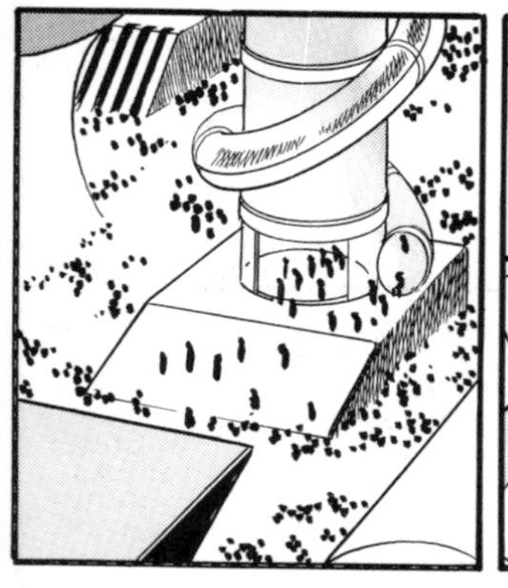

¡LA SITUACIÓN ESTÁ EMPEORANDO MUCHO MÁS RÁPIDO DE LO QUE CREÍAMOS!
MAESTRA, QUÉ TIEMPO MÁS EXTRAÑO.
HACE UN MOMENTO EL CALOR QUE EMANABA DE LA TIERRA ERA INSOPORTABLE, Y DE PRONTO HA LLEGADO EL FRÍO.
PLAS
PLAS
PLAS
PLAS
¡Y AHORA, ENCIMA, SE PONE A LLOVER!

TAL COMO NOS HA INFORMADO EL PRESIDENTE.

SOBREVOLAMOS LA RUTA 123...

WUAAASH
¡¡ESTAMOS EN EL LUGAR DONDE CONFLUYEN...
...AMBOS DESASTRES NATURALES!!

¡¡CUIDADO, UN TSUNAMI!!
FOOOOM
¡¡UAAAH!!
SPLASH
¡INCREÍBLE...! ¡LA OLA SE HA EVAPORADO AL MOMENTO! ¡ESTO PARECE UNA SAUNA!
!!
¡PILO!
¡OH, NO! ¡LA CORRIENTE HA DEJADO AQUÍ A ESTOS POKÉMON!
PLAS
FLAP
¡RÁPIDO! ¡TENEMOS QUE DEVOLVERLOS AL MAR!
¡ZAFIRO! ¡CUIDADO CON EL TSUNAMI!
¡OH! ¡¡AGUANTA, YA VOY!!

¡ESTÁ MUY GRAVE, TIENE QUE-MADURAS!
FUUUH
AFFF
AFFF
¡TOMA! ¡TRAGA ESTO!
NUNCA HABÍA VISTO UN POKÉMON ASÍ. ME IMAGINO QUE VIVE EN EL FONDO DEL MAR.
LA TEMPESTAD ES TAN FUERTE QUE TAMBIÉN ESTÁ ARRASTRANDO A LOS SERES DE LAS PROFUNDIDADES.
!!
FSSSSH
FUAAAAAAASH

MAPA DE LA AVENTURA

ZAFIRO

RUBÍ

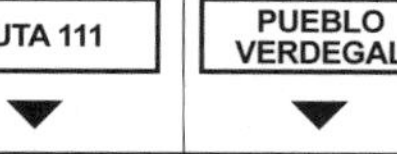

DESFILADERO → RUTA 111 → CIUDAD ARBORADA → RUTA 123

PUEBLO PARDAL → PUEBLO VERDEGAL → CIUDAD ARBORADA → CIUDAD PORTUAL

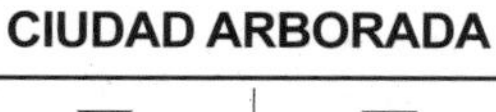

CHIC
BLAZIKEN ♀
NV. 40

RONO
LAIRON ♂
NV. 41

WALO
WAILORD ♂
NV. 47

DONO
DONPHAN ♂
NV. 48

PILO
TROPIUS ♂
NV. 46

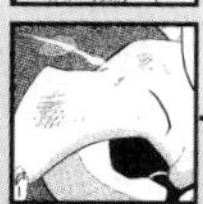

...
?

MUMU
SWAMPERT ♂

NANA
MIGHTYENA ♀

COCO
DELCATTY ♀

MIMI
FEEBAS ♀

POPO
CASTFORM ♀

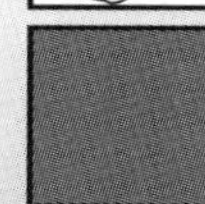

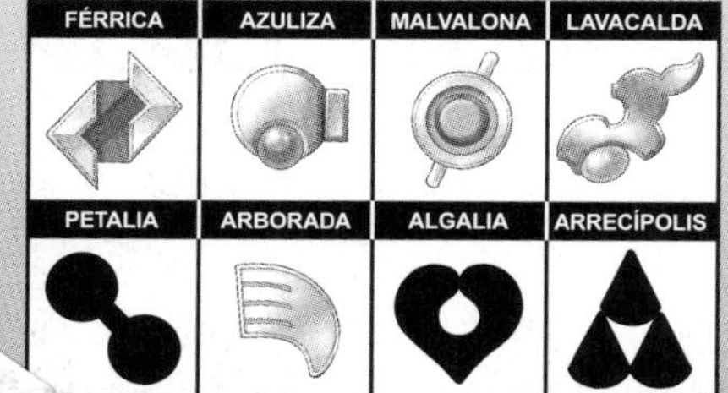

FÉRRICA	AZULIZA	MALVALONA	LAVACALDA
PETALIA	ARBORADA	ALGALIA	ARRECÍPOLIS

	CARISMA	BELLEZA	DULZURA	INGENIO	DUREZA
NORMAL					
ALTO					
AVANZADO					
EXPERTO					

CAPÍTULO 146:
Contra Kyogre y Groudon IV

FUAAASH
¡¡NO NOS DA TIEMPO A ESCAPAR!!
¡¡MASQUERAIN!!
POM
¡¡HAZ DESAPARECER LA OLA!! ¡¡VIENTO PLATA!!
BAAAUM
FLOASH

BRROOOM
!!
¿QUÉ HA PASADO...
...CON EL TSUNAMI?
ZAH

FUAAASH

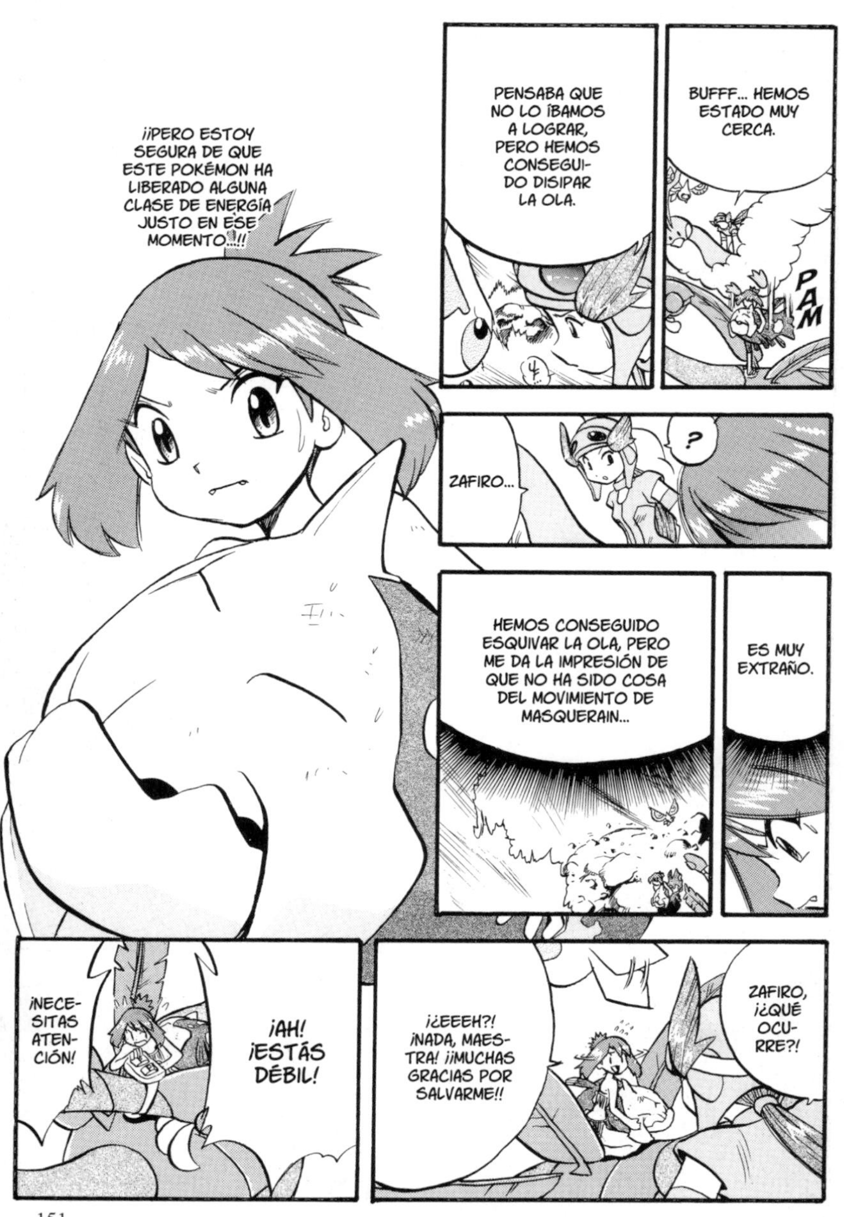
BUFFF... HEMOS ESTADO MUY CERCA.
PAM
PENSABA QUE NO LO ÍBAMOS A LOGRAR, PERO HEMOS CONSEGUI-DO DISIPAR LA OLA.
?
ZAFIRO...
ES MUY EXTRAÑO.
HEMOS CONSEGUIDO ESQUIVAR LA OLA, PERO ME DA LA IMPRESIÓN DE QUE NO HA SIDO COSA DEL MOVIMIENTO DE MASQUERAIN...
¡¡PERO ESTOY SEGURA DE QUE ESTE POKÉMON HA LIBERADO ALGUNA CLASE DE ENERGÍA JUSTO EN ESE MOMENTO...!!
ZAFIRO, ¡¿QUÉ OCU-RRE?!
¡¿EEEH?! ¡NADA, MAES-TRA! ¡¡MUCHAS GRACIAS POR SALVARME!!
¡AH! ¡ESTÁS DÉBIL!
¡NECE-SITAS ATEN-CIÓN!

ÁREA
GRITO
TAMAÑO
Nº 179 RELICANTH
POKÉMON LONGEVO
ALTURA 1,0 M
PESO 23,4 KG
RELICANTH PERTENECE A UNA ESPECIE DE POKÉMON QUE LLEVA MILLONES DE AÑOS SIN CAMBIAR DE FORMA. ESTE ANCESTRAL POKÉMON SE ALIMENTA DE MICROORGANISMOS POR LA BOCA DESDENTADA QUE TIENE.
TE CUIDARÉ HASTA QUE TE PONGAS BIEN... HMMM... ¿CÓMO PODRÍA LLAMARTE?
SUPONGO QUE ME HE EQUIVOCADO.
ESTANDO TAN DÉBIL NO HA PODIDO...
¡YA SÉ!
¡¡RELO!!
¡¡TE LLAMARÁS RELO!!
PIRIRIRI
¡AQUÍ ALANA!
BIP
¡AH, ALANA! ¡¡SOY ERICO!!
¡ERICO! ¡¿CÓMO PINTAN LAS COSAS POR ALLÍ?!
¡ESTAMOS EN PLENO COMBATE CON KYOGRE, A BORDO DE LA NAO ABANDONADA, AHORA DESTRUIDA...!
WOOOOSH
¡EL COLOR NEGRO SE QUEDARÍA CORTO!

¡¡NO LOGRAMOS HACER LA MÁS MÍNIMA MELLA EN ÉL!!
¡¡ES UNA PESADILLA!!
¡¡¿SE TE OCURRE ALGUNA MANERA DE LIBRARNOS DE ESTE TIRANO DE LOS MARES?!!
¡¡ERICO, YA SE ACERCA!!
CHAC
FZZZZZZ
AAARGH
UUUH....
¡¡ERICO!! ¡¡CANDELA!!

FZZZ...
¡TRANQUILAS, TODAVÍA PODEMOS HACERLE COSQUILLAS!
¡¡MAESTRA!!
¡¡POR FAVOR, NECESITO QUE LO HAGÁIS RETROCEDER!!
P P
¿QUÉ OCURRE?
¡¿DICES QUE EN ESTE LUGAR SE ENCUENTRAN AMBOS FENÓMENOS?!
PUEDE QUE SEA SOLO UNA IMPRESIÓN MÍA, PERO...
¡¿NO HA AUMENTADO LA SUPERFICIE DE TIERRA?!
¡PARECE QUE LA SEQUÍA VA GANANDO TERRENO A LAS INUNDACIONES!
!!
¡¡NO PUEDE SER!!
¡¡ES CIERTO!! ¡¡HA DEJADO DE LLOVER!!
¡PETRA, MARCIAL! ¡¿ME OÍS?!
¡CONTESTAD, POR FAVOR!

BR RRROOOM
¿ALANA? ¡¡QUÉ LLAMADA MÁS OPORTUNA!!
¡¡LA TEMPERATURA ESTÁ SUBIENDO A TODA VELOCIDAD Y
SE ENCUENTRA A PUNTO DE EMERGER A LA SUPERFICIE!!
CRAC
CRAC
EL SUELO SE ESTÁ ABRIENDO...
CREEEEC
¡¡EL POKÉMON AVANZA BAJO TIERRA Y YA ESTÁ A...!!
BRRRRR
¡¡AQUÍ!!

BAUM

GROARG
CRASH
ZZZ
ZZ
ZZZ
ZZ
FZZZZ
FSHIU
¡PETRA!
¡¡MARCIAL!!

ASÍ QUE AL FIN HA EMERGIDO.
¡¡GROUDON!!
¡POR FAVOR! ¡DETENEDLO COMO SEA!
¡CANDELA, ERICO, MARCIAL, PETRA!
¡EMPLEAD TODO VUESTRO PODER COMO LÍDERES DE GIMNASIO Y
ACABAD CON LA INVASIÓN DE LOS DOS POKÉMON ANCESTRALES!

¡¡NO!! ¡¡NO ES SUFICIENTE!!

¡¿QUÉ?!
¡MAESTRA! ¡¿QUÉ HA SIDO ESO?!
¡¡LA RESPUESTA DEBE ATAJAR EL MAL DE RAÍZ!!
¡¡LA VERDADERA BATALLA...
...SE ESTÁ LIBRANDO EN LAS PROFUNDIDADES DEL MAR!!!

FOOOOOM
BZZZ
BZZZ
PLOP
!!
¡¡OH, NO!!
¡¡PICO!!
POM

¿ESTÁIS BIEN?
SÍ...
MUCHAS GRACIAS. HEMOS ESCAPADO POR MUY POCO Y HEMOS AGOTADO NUESTRAS FUERZAS PARA LLEGAR HASTA AQUÍ.

¿HAN UTILIZADO UN POKÉMON DE TIPO PSÍQUICO PARA COMUNICARSE CON NOSOTRAS?
ASÍ ES.

¿ERES ALANA, LA LÍDER DE GIMNASIO?
SOMOS LOS ANTIGUOS GUARDIANES DE LOS PRISMAS DEL MONTE PÍRICO.

¿LOS PRISMAS DEL MONTE PÍRICO?
SI, EL PRISMA AZUL Y EL PRISMA ROJO.
¡LOS PRISMAS SON LA CLAVE PARA CONTROLAR A LOS POKÉMON ANCESTRALES!

NOSOTROS YA NO PODÍAMOS CUSTODIARLOS A CAUSA DE LA EDAD... VITO Y LETI ERAN NUESTROS SUSTITUTOS.
UN... ¡¡UN MOMENTO!!

ASÍ QUE ESA FUE LA RAZÓN POR LA QUE NO RESPONDIERON A NUESTRA LLAMADA...
¡¡ESO SIGNIFICA QUE...!!

¡SÍ, HAN ROBADO LOS PRISMAS Y VITO Y LETI HAN DESA-PARECIDO!
HEMOS ABANDONADO LA MONTAÑA EN BUSCA DE AYUDA.

¡¡COMO OS HEMOS DICHO,
ES INÚTIL INTENTAR DETENER DI-RECTAMENTE A KYOGRE Y GROUDON!!
¡¡AMBOS ESTÁN SIENDO CONTRO-LADOS
POR LOS QUE NOS ARREBATA-RON LOS PRISMAS!!

¡¡EL VERDADERO ENEMIGO SE ENCUENTRA...
...EN LA CAVERNA ABISAL!!

CAPÍTULO 147:
Contra Kyogre y Groudon V

¡¡EL VERDADERO ENEMIGO SE ENCUENTRA...
...EN LA CAVERNA ABISAL!!
¡¡PISO!!
FAH
¡¡ZAFIRO!!
¡¿QUÉ PIENSAS HACER?!
¡¡SI VOY A LA CAVERNA ABISAL Y LOS DERROTO...
...SE DETENDRÁN LAS INUNDACIONES Y LA SEQUÍA!!
¡¡VAMOS AL FONDO DEL MAR!!
POM
¡AHORA QUE SÉ LO QUE HAY QUE HACER NO PUEDO QUEDARME QUIETA!

FUOOOSH

¡MAESTRA, ¿POR DÓNDE QUEDA LA CAVERNA ABISAL?!
TAP

HEMOS PASADO LA RUTA 123 Y SALIDO A LA 126...
DEBES SEGUIR ADELANTE, EN DIREC-CIÓN A ARRECÍ-POLIS...

¡¿PERO CÓMO PRETENDES ALCANZAR EL FONDO?!
TAP
¡...!

¡¡NADIE HA SIDO CAPAZ DE LLEGAR...
...A LA CA-VERNA ABI-SAL!!

CRAASH.

BRRROOOOM
¡¡MALDICIÓN!! ¡AHORA NOS BLOQUEA EMPLEANDO TUMBA ROCAS!
¡¡QUÉ PODER!!
¡¡TIENE TAL INTENSIDAD QUE APENAS RECONOZCO EL MOVIMIENTO!! ¡¡NI SIQUIERA SE TOMA EN SERIO A NUESTROS POKÉMON!!
¡¡AHORA VEREMOS!!
¡¡PUÑO CERTERO!!
ZUAAS
FUOOOOM

¡¡UAAAH!!
POM
¡¡HA DISUELTO NUESTRO MOVIMIENTO A MEDIO CAMINO!!
¡YA NO SE TRATA DE VALORAR QUÉ MOVIMIENTO ES MÁS PODEROSO!
¡¡NO TENEMOS NADA QUE HACER!!
FROOOAAAR
SH
¡¡UOOOOOH!!
¡¡NUESTROS TIPOS TIENEN VENTAJA, Y SIN EMBARGO AGUANTAMOS A DURAS PENAS...!!
¡MANECTRIC, CARGA!!
BZZZZZ
¡¡ESTÁ ACUMULANDO LA ELECTRICIDAD DE LA ATMÓSFERA!!
¡¡VA A SOLTARLA DE GOLPE CON EL PRÓXIMO MOVIMIENTO!!
¡¡ONDA VOLTIO!!
FRZZZZZZZ

FRASSSH

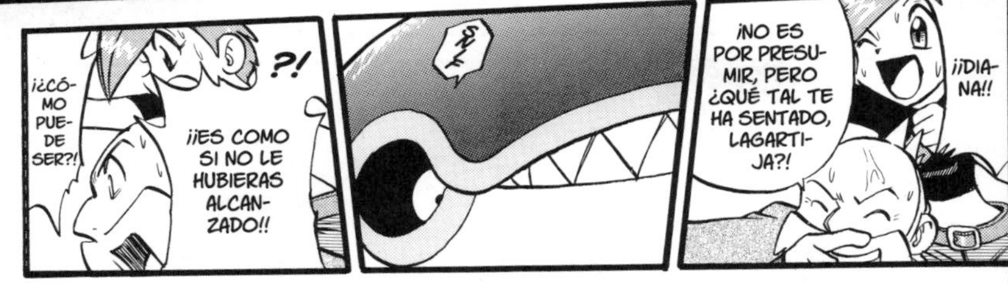
¡¡DIANA!!
¡NO ES POR PRESUMIR, PERO ¿QUÉ TAL TE HA SENTADO, LAGARTIJA?!
?!
¡¡ES COMO SI NO LE HUBIERAS ALCANZADO!!
¡¿CÓMO PUEDE SER?!

FLAAASH

¡¡ES PAZ MENTAL!! ¡¡ESTÁ USANDO PAZ MENTAL!!
¡¡HA ELEVADO AL LÍMITE EL PODER DE SU DEFENSA ESPECIAL!!

¡¡AHORA QUE HA PROTEGIDO SUS PUNTOS DÉBILES...
...HA VUELTO A DESATAR SU FURIA!!

CIUDAD PORTUAL.
SHAAAA

¡¡CAPITÁN BABOR!!

FIUUUUUSH
AH... ¡¡EL LÍDER DE GIMNASIO DE ARRECÍPOLIS, PLUBIO!!

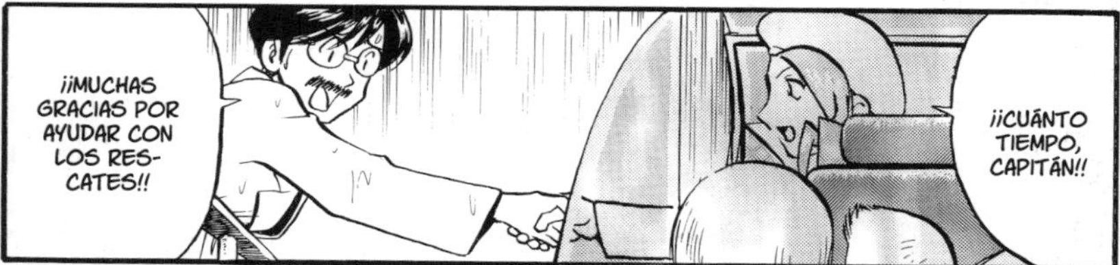
¡¡CUÁNTO TIEMPO, CAPITÁN!!
¡¡MUCHAS GRACIAS POR AYUDAR CON LOS RESCATES!!

LA SITUACIÓN ES VERDADERAMENTE PREOCUPANTE. SI ESTUVIERA AQUÍ MÁXIMO...
NO LO HABRÁ VISTO...

¡¡PLUBIO!! ¡¡¿Y RUBÍ?!!

ESTÁ EN EL CENTRO DE PRIMEROS AUXILIOS.
¡VAMOS JUNTOS! ¡DE TODOS MODOS TENGO QUE LLEVAR A ESTAS PERSONAS!
Y NECESITO CONTACTAR CON LOS OTROS LÍDERES DE GIMNASIO.

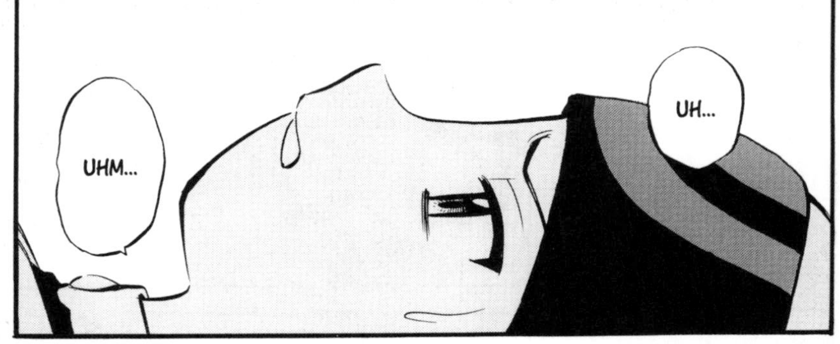
UH...
UHM...

DON...
¿DÓNDE ESTOY?

UOOOH
UOOOH
AAAY

¿UNA ENFERMERÍA?
¡CLARO! ¡HE PERDIDO EL CONOCIMIENTO DESPUÉS DE QUE MIMI...!

NO PUEDO QUEDARME AQUÍ...
¡TENGO QUE ENCONTRAR A MIMI!
¡HUMF!

!!

¡¡EL PRESIDENTE!! ¡¡Y MUÉLLEZ!!

COF COF
PARECEN ENFERMOS. ASÍ QUE NO SOLO HAY VÍCTIMAS DE LAS INUNDACIONES.

¡¡DEBEMOS RECUPERAR COMO SEA EL CONTROL SOBRE LA REGIÓN DE HOENN!!

¡¡ES EL MAESTRO!!
¡Y EL CAPITÁN BABOR, GABI Y TEO!

ZAAAAH

NO HAGO MÁS QUE OCULTARME DE TODO EL MUNDO...
NO PUEDO ACERCARME A NADIE CON LA CABEZA ALTA, NI SIQUIERA SOSTENERLE LA MIRADA...

ALANA ES QUIEN DIRIGE LA OPERACIÓN DESDE CIUDAD ARBORADA.
DESDE AQUÍ NOS PONDREMOS EN CONTACTO CON ELLA.

BIP BIP

¡¡AQUÍ ALANA!!

¡¡SOY PLUBIO!! ¡ESTOY EN PORTUAL! ¡SIENTO HABER ACTUADO POR MI CUENTA!
¡¿PLUBIO?!

¡¿ESTÁS EN CIUDAD PORTUAL?! AQUÍ ESTAMOS SOBREVOLANDO LA RUTA 126, AUNQUE AHORA ESO DA IGUAL.
¡¡LA SITUACIÓN ES MUY GRAVE!! ¡¡LOS POKÉMON ANCESTRALES KYOGRE Y GROUDON HAN DESPERTADO!!

¡¡ERICO Y CANDELA, PETRA Y MARCIAL SE HAN DIVIDIDO EN DOS GRUPOS PARA COMBATIRLOS!!

¡¡NO ES QUE NO NECESITE REFUERZOS PARA DETENER LA INVASIÓN...
...PERO TAMPOCO SOLUCIONARÍAMOS NADA!!

¡ENTENDIDO! ¡¡ME UNIRÉ A UNO DE ELLOS!!
¡¡NO, ESPERA, PLUBIO!!

¿QUÉ QUIERES DECIR?
¡LOS POKÉMON ESTÁN SIENDO CONTROLADOS...
...DESDE LA CAVERNA ABISAL!
¡¡LOS QUE LOS MANIPULAN SE ESCONDEN ALLÍ!!
¡EL ÚNICO MODO DE DETENER A LOS DOS POKÉMON ANCESTRALES ES YENDO A LA CAVERNA ABISAL!
¡ALLÍ ESTÁ ZAFIRO...!
¡...CON UN NUEVO POKÉMON!
NUNCA LO HABÍA VISTO... ¡ESPERA! LA VERDAD ES QUE ME SUENA DE ALGO...
¡¡ES INÚTIL!! ¡NOS HAN ROBADO EL SUBMARINO Y EL COMPONENTE ESPECIAL DE ARRANQUE!
¡¡LA CAVERNA ABISAL SE ENCUENTRA EN LA ZONA MÁS PROFUNDA DEL MAR, COMPLETAMENTE INACCESIBLE PARA LOS SERES HUMANOS!!
HAY ALGO IMPORTANTE QUE NO LOGRO RECORDAR...
¡¿QUÉ PUEDE SER...?!
¡¡IMPOSIBLE!!

INACCE-SIBLE...
PRO-FUN-DIDA-DES...
IMPOSI-BLE...
PARA LOS SERES HUMANOS...
CON SU AYUDA...
AYU-DA...
SE CREÍA QUE CON SU AYUDA SE PODRÍAN ALCANZAR LAS PROFUNDIDADES DEL MAR
QUE PERMANECEN INACCESIBLES PARA LOS HUMANOS.
¡ESO ES!
¡CLARO! ¡¡EL POKÉMON DE LA HISTORIA DEL SEÑOR ARENQUE!!

CAPÍTULO 148:
Contra Kyogre y Groudon VI

¡¡ESO ES!!
¡CLARO! ¡¡EL POKÉMON DE LA HISTORIA DEL SEÑOR ARENQUE!!

¡EL ÚNICO MODO DE DETENER ESTOS FENÓMENOS EXTREMOS ES YENDO A LA CAVERNA ABISAL!
¡ES INÚTIL!! ¡NOS HAN ROBADO EL SUBMARINO Y EL COMPONENTE ESPECIAL DE ARRANQUE!
¡¡LA CAVERNA ABISAL SE ENCUENTRA EN LA ZONA MÁS PROFUNDA DEL MAR, COMPLETAMENTE INACCESIBLE PARA LOS SERES HUMANOS!!

PARECE QUE NADIE CONOCE EL PODER DE ESE POKÉMON.
NI SIQUIERA ELLA...

¡¡TODOS ESTÁN PREOCUPADOS, Y YO SOY EL ÚNICO QUE CONOCE LA FORMA DE SALIR DEL CALLEJÓN SIN SALIDA!!

FSSSSSS
...
!?
SPLASH
SPLASH SPLASH
¡¡MIMI!!
¡¡YA VOY!!
POM POM POM POM POM
SPLASH
¡¡MI-MI!!
...MI...

FLIS
FLIS

...
¡¡MAG-GIE!!

¡MAG-GIE!
¡¡MAG-GIEEE!!

¿ESTABAS BUSCANDO A TU MAGIKARP? AQUÍ LO TIENES.

¡MAGGIE!
¡MUCHAS GRACIAS!

EEEH...

SOY CIEGO...
...PERO RECONOZCO AL MOMENTO A MI MAGIKARP.
¡NO TE VUELVAS A ALEJAR!
¿ERES TÚ EL QUE LO HAS SALVADO?
¿CÓMO LO HAS CONSEGUIDO EN MEDIO DE ESTA INUNDACIÓN?
AH, CLARO... HAS USADO TUS POKÉMON.
¡ERES UN GRAN ENTRENADOR!
QUÉ BIEN... OJALÁ YO TUVIERA TU HABILIDAD...
ENTONCES
PODRÍA AYUDAR A LA GENTE Y A LOS POKÉMON QUE LO NECESITAN.
YO...
YO...
¡¿POR QUÉ NO CONFÍAS EN TUS POKÉMON?!
¡¿PARA QUÉ TE HAS ESTADO ENTRENANDO?!!
NO ME... INTERESA.
¿Y?
COF COF
¡¡NO PIENSAS EN NADIE MÁS QUE EN TI MISMO!!

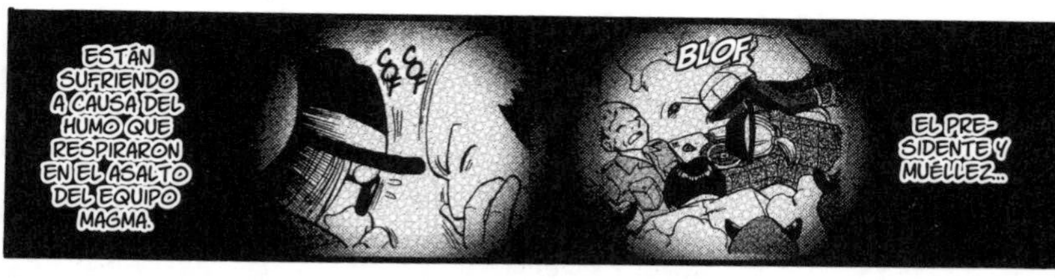
EL PRESIDENTE Y MUÉLLEZ...
BLOF
COF COF
ESTÁN SUFRIENDO A CAUSA DEL HUMO QUE RESPIRARON EN EL ASALTO DEL EQUIPO MAGMA.

¡¡HAY GENTE QUE PISOTEA A LAS PERSONAS Y LOS POKÉMON SIN IMPORTARLES NADA SU SUFRIMIENTO!!
¡¡NO TIENEN REPAROS EN ATENTAR CONTRA LA NATURALEZA!!

Y A PESAR DE VERLO DURANTE MI VIAJE...
¡NO HICE NADA PARA EVITARLO! ¡NI SIQUIERA ME PREOCUPÉ LO MÁS MÍNIMO!

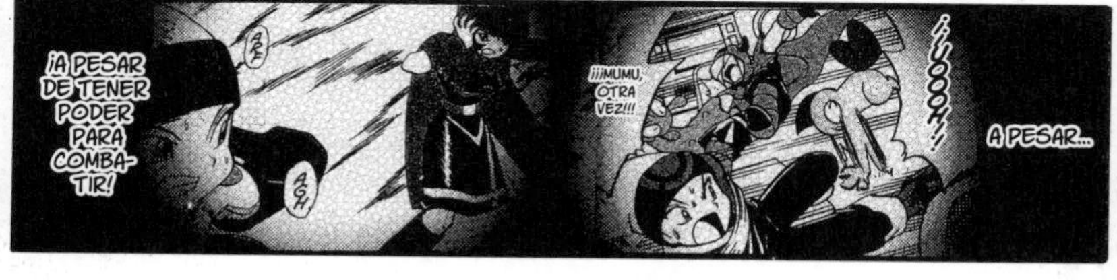
A PESAR...
¡¡UOOOH!!
¡¡¡MUMU, OTRA VEZ!!!
¡A PESAR DE TENER PODER PARA COMBATIR!

SÉ LO QUE HABRÍA QUE HACER... TENGO INCLUSO UN PLAN...
PERO... ¿QUÉ HAGO?

¿QUE QUÉ HA-GO...?
¡¡¿ES QUE LA RESPUESTA NO ESTABA CLARA DESDE EL PRINCI-PIO?!!

POPO, MUMU, COCO, NANA...
LO SIENTO.
MIMI NO VA A VOLVER.
MI EGOÍSMO NOS HA COSTADO UN IMPORTANTE MIEMBRO DEL EQUIPO...
¿AÚN QUE-RÉIS VENIR CONMIGO?
PUEDE QUE...
FSSSSH
...SEA DEMASIADO TARDE...
FIU FIU
ESTE DEL-CATTY...
¡¿UH?!
PARA MI MAESTRO
Maestro,
Soy Rubí.
Quería pedirle que me lleve a Ciudad Arborada.
Quiero combatir al Equipo Magma.

FUOOOSH
¡¡UAAAAAAAH!!

¡¡ME SUMERGIRÉ TAL CUAL!!
¡¡PUEDO AGUANTAR LA RESPIRACIÓN CINCO MINUTOS, Y SI ME ESFUERZO INCLUSO DIEZ!!
¡¡DÉJALO, ZAFIRO!!
¡¡ENTIENDO CÓMO TE SIENTES, PERO LA CAVERNA ABISAL ESTÁ A UNA PROFUNDIDAD INIMAGINABLE!!
¡¡NI SIQUIERA LOS POKÉMON PUEDEN LLEGAR ALLÍ!!

¡¡PERO...!!
¡¡LO SÉ!!
¡¡ES FRUSTRANTE ESTAR SIN HACER NADA MIENTRAS PETRA, MARCIAL, CANDELA Y ERICO
SE SACRIFICAN POR NOSOTROS!!
¡¡LO ES, PERO...
...NO PODEMOS HACER NADA!!

...
EN CUANTO A ESO...
¡¡HAY ALGO QUE SÍ PODEMOS HACER!!
FUOOOOO
!!
¡TÚ...!
GRRRR
OTRA VEZ ÉL... ¡¿Y AHORA PARA QUÉ HABRÁ VENIDO?!
DURANTE MI VIAJE CONOCÍ A UN PES-CADOR...
...QUE ME CONTÓ UNA HISTORIA.

¡¡AL PARECER LA GENTE DE LA ANTIGÜEDAD LLEGABA AL FONDO DEL MAR UTILIZANDO EL PODER DE UN POKÉMON!!

¿¡UN POKÉMON?!

¡¡ESO ES!!
¡¡EL POKÉMON QUE ESTÁS SOSTENIENDO!! ¡¡UN RELICANTH!!

¡¡EL MOVIMIENTO DE RELICANTH...
...PUEDE LLEVARNOS HASTA EL FONDO DEL MAR SIN SUBMARINO!!

PE... ¿¡PERO QUE TONTERÍAS SON ESAS?!
¡ES UNA HISTORIA ABSURDA! ¡NINGÚN POKÉMON TIENE ESE PODER...!
¿¡CREES QUE PODEMOS PERDER EL TIEMPO ESCUCHANDO FANTASÍAS DE LAS QUE NO HAY PRUEBA ALGUNA?!
¡ESPERA, MAESTRA!

YO LE CREO...

¿¡ZAFIRO?!
¡CUANDO NOS HAN ATACADO, RELO HA LIBERADO ALGUNA CLASE DE ENERGÍA!
SOLO HA SIDO UN MOMENTO, PERO HA CONSEGUIDO DISPERSAR EL TSUNAMI.
BRRR
¡LO HE RECORDADO AL OÍR ESTA HISTORIA!

¿¡POR FIN ME CREÉIS?!
EL MOVIMIENTO QUE PERMITE ALCANZAR LAS PROFUNDIDADES SE LLAMA...
¡¡BUCEO!!

¡AH! ¿SEÑOR ARENQUE? PERDONE QUE LE MOLESTE.
SÍ, SE LO HE CONTADO, EMPIEZAN A CREERME.
¿EH? ¿QUE CUÁNTO MIDE EL RELICANTH?
UNOS 80 CENTÍMETROS.
SÍ, UN POCO PEQUEÑO. ¿EH?

¿CÓMO DICE? ¿QUE CON ESE TAMAÑO...
...SOLO PUEDE LLEVAR A DOS NIÑOS COMO MUCHO?
ENTIENDO...
¿EH? ¿CÓMOOO?

¡¿QUE QUIENES VAN A SUMERGIRSE HASTA LA CAVERNA ABISAL PARA COMBATIR SON...?!
ESO ES, ALANA.

RUBÍ SE HA OFRECIDO VOLUNTARIAMENTE...
¡¡Y CON LA MAESTRA DEL RELICANTH, SERÍAN DOS!!
!!

ES MI APRENDIZ Y CONFIÓ EN ÉL.
¡¡QUÉ TONTERÍA!! ¡NO SE TRATA SOLO DE LLEGAR HASTA ALLÍ! ¡¿QUÉ HAY DE LOS QUE CONTROLAN A KYOGRE Y GROUDON?!
QU... ¿QUÉ...?
¡ALANA!
NO PODEMOS PERMITIRNOS MÁS VACILACIONES...
BIEEEN, ESTOY DESEANDO EMPEZAR.
¡EH, UN MOMENTO! ¡¡¿PERO QUÉ ESTÁS DICIENDO?!!
ANDA, SI TODAVÍA VISTES COMO UNA NEANDERTAL. ¿NO DEBERÍAS LLEVAR ALGO ENCIMA? EN EL MOMENTO EN QUE TE SUMERJAS TUS HOJAS SALDRÁN FLOTANDO.
COMO VES, HE CONFECCIONADO UNA ROPA A LA MEDIDA DE LA MISIÓN.
¡¿QUÉ TE PARECE?!
¿PERO QUÉ ESTÁS DICIENDO? ¡¡NO PIENSO PERDONARTE!!
Y TENGO OTRA PARA TI.
ESTOY SEGURO...
ZUH

...DE QUE
TE VA A
QUEDAR
BIEN.

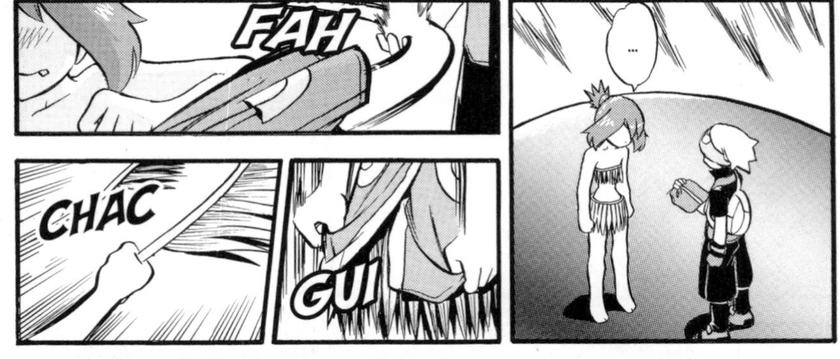
FAH
...
CHAC
GUI

¡CONFIAMOS EN VOSOTROS!

¡GRUUR!

¡HASTA LA CAVERNA ABISAL! ¡¡BUCEO!!
¡¡RECUPE-REMOS LAS ESFERAS QUE CONTROLAN A LOS DOS POKÉMON!!
CHAC
¡¡ALLÁ VA MOOOS!!
¡DASH!

ZAAAH
ZUUUUUUM
¡27 DÍAS PARA CUMPLIR EL RETO!

POKéMON
RUBÍ Y ZAFIRO

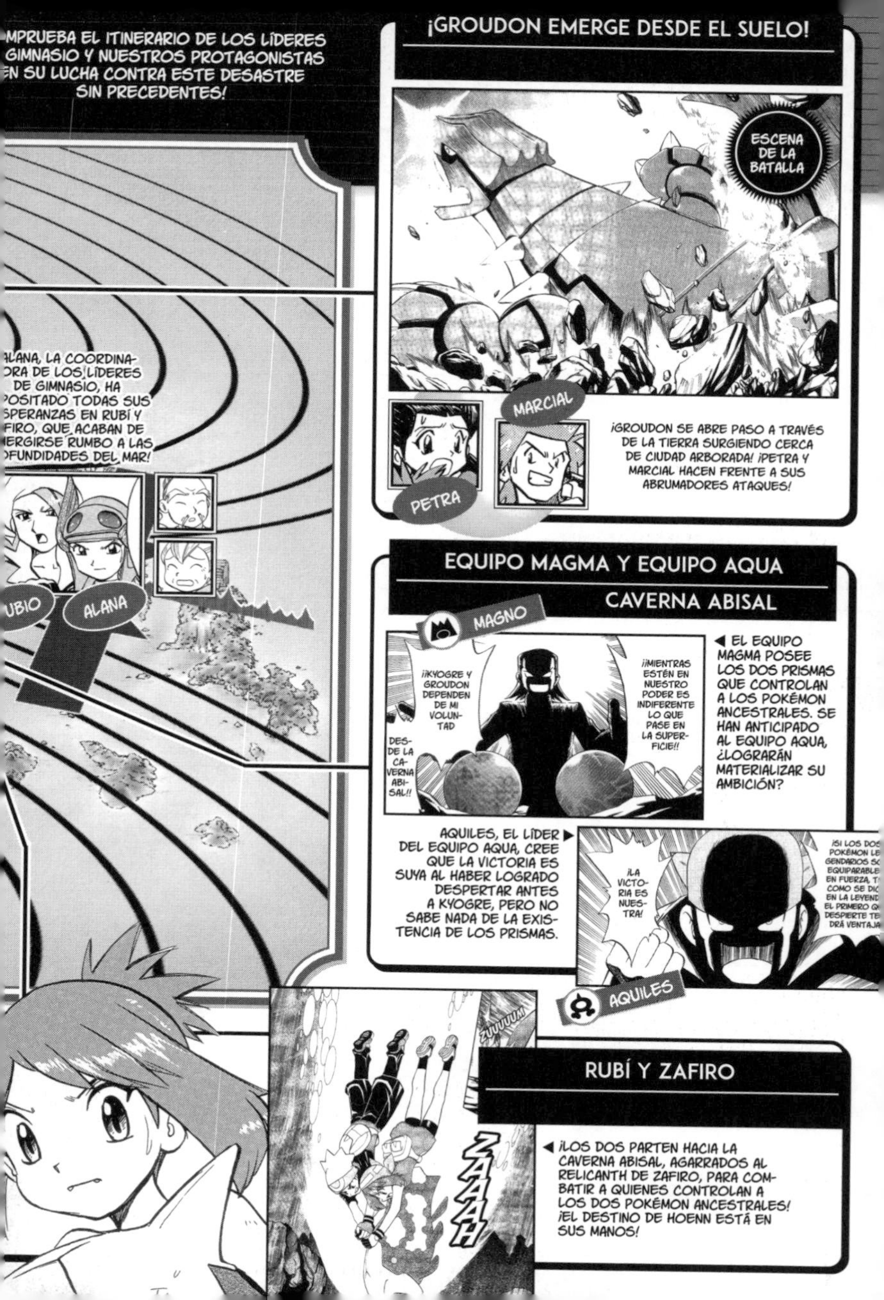

-MPRUEBA EL ITINERARIO DE LOS LÍDERES GIMNASIO Y NUESTROS PROTAGONISTAS EN SU LUCHA CONTRA ESTE DESASTRE SIN PRECEDENTES!
ALANA, LA COORDINA-ORA DE LOS LÍDERES DE GIMNASIO, HA POSITADO TODAS SUS SPERANZAS EN RUBÍ Y FIRO, QUE ACABAN DE MERGIRSE RUMBO A LAS OFUNDIDADES DEL MAR!
UBIO
ALANA
¡GROUDON EMERGE DESDE EL SUELO!
ESCENA DE LA BATALLA
MARCIAL
PETRA
¡GROUDON SE ABRE PASO A TRAVÉS DE LA TIERRA SURGIENDO CERCA DE CIUDAD ARBORADA! ¡PETRA Y MARCIAL HACEN FRENTE A SUS ABRUMADORES ATAQUES!
EQUIPO MAGMA Y EQUIPO AQUA
CAVERNA ABISAL
MAGNO
¡¡MIENTRAS ESTÉN EN NUESTRO PODER ES INDIFERENTE LO QUE PASE EN LA SUPERFICIE!!
¡¡KYOGRE Y GROUDON DEPENDEN DE MI VOLUNTAD
DESDE LA CAVERNA ABISAL!!
◀ EL EQUIPO MAGMA POSEE LOS DOS PRISMAS QUE CONTROLAN A LOS POKÉMON ANCESTRALES. SE HAN ANTICIPADO AL EQUIPO AQUA, ¿LOGRARÁN MATERIALIZAR SU AMBICIÓN?
AQUILES, EL LÍDER DEL EQUIPO AQUA, CREE QUE LA VICTORIA ES SUYA AL HABER LOGRADO DESPERTAR ANTES A KYOGRE, PERO NO SABE NADA DE LA EXISTENCIA DE LOS PRISMAS. ▶
¡LA VICTORIA ES NUESTRA!
AQUILES
ZUUUUUM
RUBÍ Y ZAFIRO
ZAAAAH
◀ ¡LOS DOS PARTEN HACIA LA CAVERNA ABISAL, AGARRADOS AL RELICANTH DE ZAFIRO, PARA COMBATIR A QUIENES CONTROLAN A LOS DOS POKÉMON ANCESTRALES! ¡EL DESTINO DE HOENN ESTÁ EN SUS MANOS!

¡LA BATALLA CONTRA LOS POKÉMON ANCESTRALES!
PÁNICO EN HOENN
PLANO D
LA BATALL
ZONA DE ARBORADA
LAS ÁREAS AFECTADAS POR EL CALOR Y LA SEQUÍA CONTINÚAN EXPANDIÉNDOSE. ¡AL PASO DE GROUDON, EL POKÉMON CONTINENTE, LOS RÍOS Y LO ÁRBOLES SE VOLATILIZAN Y LA TEMPERATURA DE LA TIERRA Y EL AIRE SUBE DE MODO EXTRAORDINARIO!
LA POBLACIÓN DE HOENN
MALVALANOVA
LA ASOCIACIÓN POKÉMON HA AYUDADO A EVACUAR A LOS HABITANTES DE HOENN GUIÁNDOLOS HACIA LA SEGURIDAD DE LA CIUDAD SUBTERRÁNEA.
ZONA DE AZULIZA Y PORTUAL
LAS ÁREAS AFECTADAS POR TSUNAMIS Y LLUVIAS TORRENCIALES CONTINÚAN EXPANDIÉNDOSE. ¡EL MOVIMIENTO LLOVIZNA DE KYOGRE HA IDO SUMERGIENDO UNA POR UN TODAS LAS POBLACIONES AFECTADAS!
EL MAR DONDE REAPARECE KYOGRE
CANDELA
ERICO
ESCENA DEL COMBATE
¡KYOGRE AVANZA CERCA DE LA RUTA 108, Y A SU PASO TAMBIÉN LO HACEN LOS TSUNAMIS Y LAS TEMPESTADES! ¡CANDELA Y ERICO COMBATEN EN EL MAR SOBRE LA NAO ABANDONADA, INTENTANDO DETENER SU AVANCE!

GALERÍA DE ILUSTRACIO

NUEVO AÑO, ¿NUEVA PELEA?

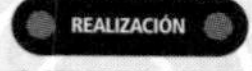

OCTUBRE DE 2003

NÚMERO DE ENERO DE 2004 DE LA REVISTA
SHOGAKU ROKUNENSEI

TÍTULO

DOS Y DOS

REALIZACIÓN

OCTUBRE DE 2004

PUBLICACIÓN

TARJETA DE FELICITACIÓN DE AÑO NUEVO DE 2005 EN EL NÚMERO DE DICIEMBRE DE 2004 DE LA REVISTA *SHOGAKU YONENSEI*

TÍTULO

GO! GO!

REALIZACIÓN

DICIEMBRE DE 2003

PUBLICACIÓN

NÚMERO DE MARZO D
2004 DE LA REVISTA *SHOGAKU GONENSEI*

TÍTULO

¡A COMBATIR EL MAL!

REALIZACIÓN

OCTUBRE DE 2004

PUBLICACIÓN

TARJETA DE FELICITACIÓN DE AÑO NUEVO DE 2005 EN EL NÚMERO DE DICIEMBRE DE 2004 DE LA REVISTA *SHOGAKU YONENSEI*

CAPÍTULO 149: Contra Kyogre y Groudon VII

ZAAA
ZUUUUUM

RUBÍ, ZAFIRO.... ESTAMOS EN VUESTRAS MANOS.
PERO NO PODEMOS QUEDARNOS ESPERANDO.
MIENTRAS RECUPERAN LOS PRISMAS DEBEMOS INTENTAR PALIAR EL DAÑO COMO SEA.
VOY A UNIRME A PETRA Y MARCIAL.
¿Y TÚ, ALANA?
¿YO...?
EL PRESIDENTE DE LA ASOCIACIÓN POKÉMON ME HA ENCARGADO LA SUPERVISIÓN...
TENGO QUE VOLVER AL PUESTO Y CUMPLIR CON MIS OBLIGACIONES.
EN REALIDAD...
...ME GUSTARÍA UNIRME AL COMBATE...
¡PERO TENGO QUE INFORMAR AL PRESIDENTE DE LA SITUACIÓN!

BIIIP... FZZZ... FZZZ

HMMM... LAS CONDICIONES ATMOSFÉRICAS ESTÁN COMPLICANDO LA CONEXIÓN...
¡PRESIDENTE! ¡SOY ALANA!
BIP BIP... FZZ...

EL CALOR Y LA SEQUÍA HAN ALCANZADO LAS PROXIMIDADES DE CIUDAD CALAGUA.
¡¡QUIZÁ LA SEDE DE LA ASOCIACIÓN POKÉMON TAMBIÉN SE HA VISTO AFECTADA!!

BRRRR
?
¿QUÉ OCURRE, PLUBIO?
BRRRR
¿LO OYES? ¡ALGO SE ACERCA!

BRRRR
BROOOOM
BRRRR
¡A... ALLÍ!
BRRRMM
¡¡UN OBJETO ENORME SE DIRIGE HACIA AQUÍ!!
BROOOOM
BRROOM

BROOOM
ACIÓN
POKÉMON
¡¡SOY YO!!
BIIP BIIP
¡¡EL POKÉGEAR ACABA DE CONECTAR!!
¡¡ES GIGANTESCO!!
ES... ¡¿ES UN DIRIGIBLE?!

BRROOM
BRROOM

¡¿ESTÁ USTED...?!
SÍ, EN ESTE ENORME DIRIGIBLE... ¡EL ZEPE-LION!
¡LOS EFECTOS DE LA SEQUÍA QUE PROVOCA GROUDON HAN ALCANZADO A CALAGUA!
LA OLA DE CALOR HA HECHO IMPOSIBLE PERMANECER EN EL ÁREA,
ASÍ QUE...
¡¡...HE APROBADO EL PROTOCOLO DE EMERGENCIA PARA ACTIVAR LA SEDE MÓVIL!!
¡¿SEDE MÓVIL?!

¡¡LA SEDE LA ASOCIACIÓN POKÉMON ESTÁ SUSPENDIDA EN EL AIRE!!

¡GRACIAS POR OCUPARTE DE TODO, ALANA!
A PARTIR DE AHORA LLEVARÉ LA DIRECCIÓN DESDE EL AIRE.

¡¡ENTONCES...!!
¡¡SÍ, YA PUEDES IR!!

¡¡AYUDA A LOS OTROS LÍDERES EN EL COMBATE!!
¡¡AHORA MISMO!!

¡¡YA LO HAS OÍDO, PLUBIO!!
DASH
¡¡VOY CON CANDELA Y ERICO A LA ZONA DE AZULIZA Y PORTUAL!!
ZAH
¡¡A LA BATALLA CON KYOGRE!!
NOSOTROS SEGUIMOS PREOCUPADOS POR VITO Y LETI...
SUBAN, POR FAVOR.
FUI YO QUIEN LES ENCARGÓ LA VIGILANCIA DE LOS PRISMAS.
CON ESTE TIEMPO TAN EXTREMO LA BÚSQUEDA PUEDE SER MUY COMPLICADA. SERÁ MEJOR QUE ESPEREN NOTICIAS EN EL DIRIGIBLE.
ALANA...

ASOCIACIÓN
ZAAAH
BONK
ZUUUUUUUH
CLOC CLOC
HOLA.
¿HAY ALGUIEN EN CASA?
¡TODA LA REGIÓN ESTÁ EN ESTADO DE EMERGENCIA! ¡REPETIMOS...!
FSSSSH

¡A TODOS LOS HABITANTES! ¡¡BUSQUEN REFUGIO DE INMEDIATO!!
¡¡ES TERRIBLE!!
HMMM...
OLA DE CALOR Y SEQUÍA.
¡¡LOS DESASTRES NATURALES HAN PARTIDO HOENN EN DOS!!
¡ALREDEDOR DE CIUDAD ARBORADA LA SEQUÍA ESTÁ AMPLIANDO LA SUPERFICIE TERRESTRE, Y EN LA ZONA DE PORTUAL EL MAR LO ESTÁ INUNDANDO TODO!
TSUNAMIS Y LLUVIAS TORRENCIALES.
¡Y NO TIENE PINTA DE PARAR!

¡CUANDO AMBOS FENÓMENOS COLISIONEN EL DESASTRE SERÁ DESCOMUNAL!
¡¡SALIR EN ESTAS CONDICIONES ES UNA AUTÉNTICA IRRESPONSABILIDAD...!!
PERO...

BRRU
AY...
UUUUUM

BUFFF... TREECKO, LO SIENTO.
ESPERABA REUNIRME CON TU NUEVO ENTRENADOR.
PERO ME PARECE QUE VA A SER DIFÍCIL...
QUERÍA ENTREGARLE ESTA POKÉDEX A SU DUEÑO...
ÉL...

FFFFF
DIJO QUE VENDRÍA PASARA LO QUE PASARA, PERO...
¿UH?
FRAASH
PERO EL ÚLTIMO INFORME METEOROLÓ-GICO DICE QUE LOS TSUNAMIS PODRÍAN LLE-GAR HASTA AQUÍ...
FRRUAASH
¡UAAAH! ¡¡VIENE HACIA AQUÍ!!
FLOASH
¡¡UAAAGH!!

¡¡MI MOCHI-LA...!!

¡¡TREE-CKO!!
¡¡LA POKÉ-DEX!!

AGGGH BUAGH
CHOF

MAPA DE LA AVENTURA

ZAFIRO

CHIC
BLAZIKEN ♀
NV. 40

RONO
LAIRON ♂
NV. 41

RELO
RELICANTH ♂
NV. 47

DONO
DONPHAN ♂
NV. 48

PILO
TROPIUS ♂
NV. 46

WALO
WAILORD ♂
NV. 48

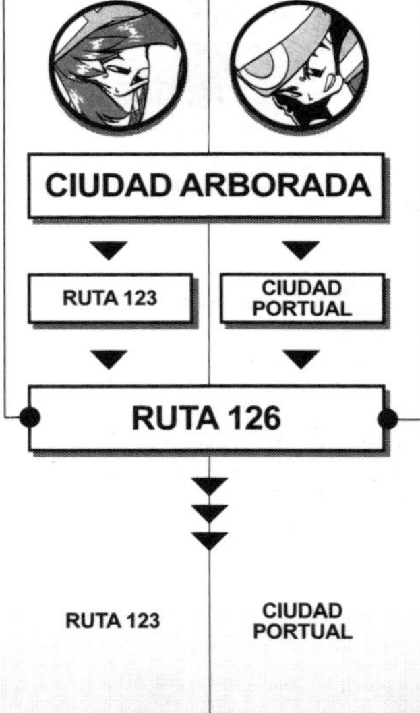

CIUDAD ARBORADA

RUTA 123 | CIUDAD PORTUAL

RUTA 126

RUTA 123 | CIUDAD PORTUAL

RUBÍ

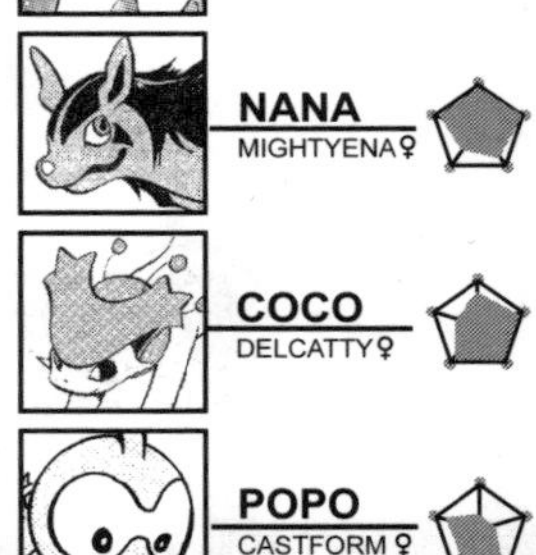

MUMU
SWAMPERT ♂

NANA
MIGHTYENA ♀

COCO
DELCATTY ♀

POPO
CASTFORM ♀

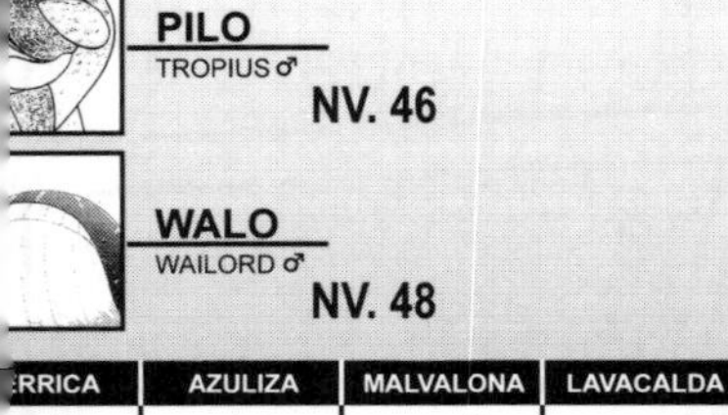

ERRICA	AZULIZA	MALVALONA	LAVACALDA
ETALIA	ARBORADA	ALGALIA	ARRECÍPOLIS

	CARISMA	BELLEZA	DULZURA	INGENIO	DUREZA
NORMAL					
ALTO					
AVANZADO					
EXPERTO					

CAPÍTULO 150: Contra Treecko

¡PUES VAYA!
POM
FIU FIU FIU
¡¡UOOOH!!
HMMM... PARECE QUE HOY TAMPOCO SE VE...
...LA ISLA ESPEJISMO.
ABUELO, HABÍAMOS LLEGADO A UN ACUERDO.
DIJO QUE SI HOY NO VEÍAMOS LA ISLA EVACUARÍAMOS...
¡EL RESTO DE HABITANTES DE ESTE PUEBLO FLOTANTE YA HA ABANDONADO OROMAR SIGUIENDO EL CONSEJO DE LA ASOCIACIÓN POKÉMON!
BLUB BLUB BLORB
¡PERO YO...! ¡UAAAH!

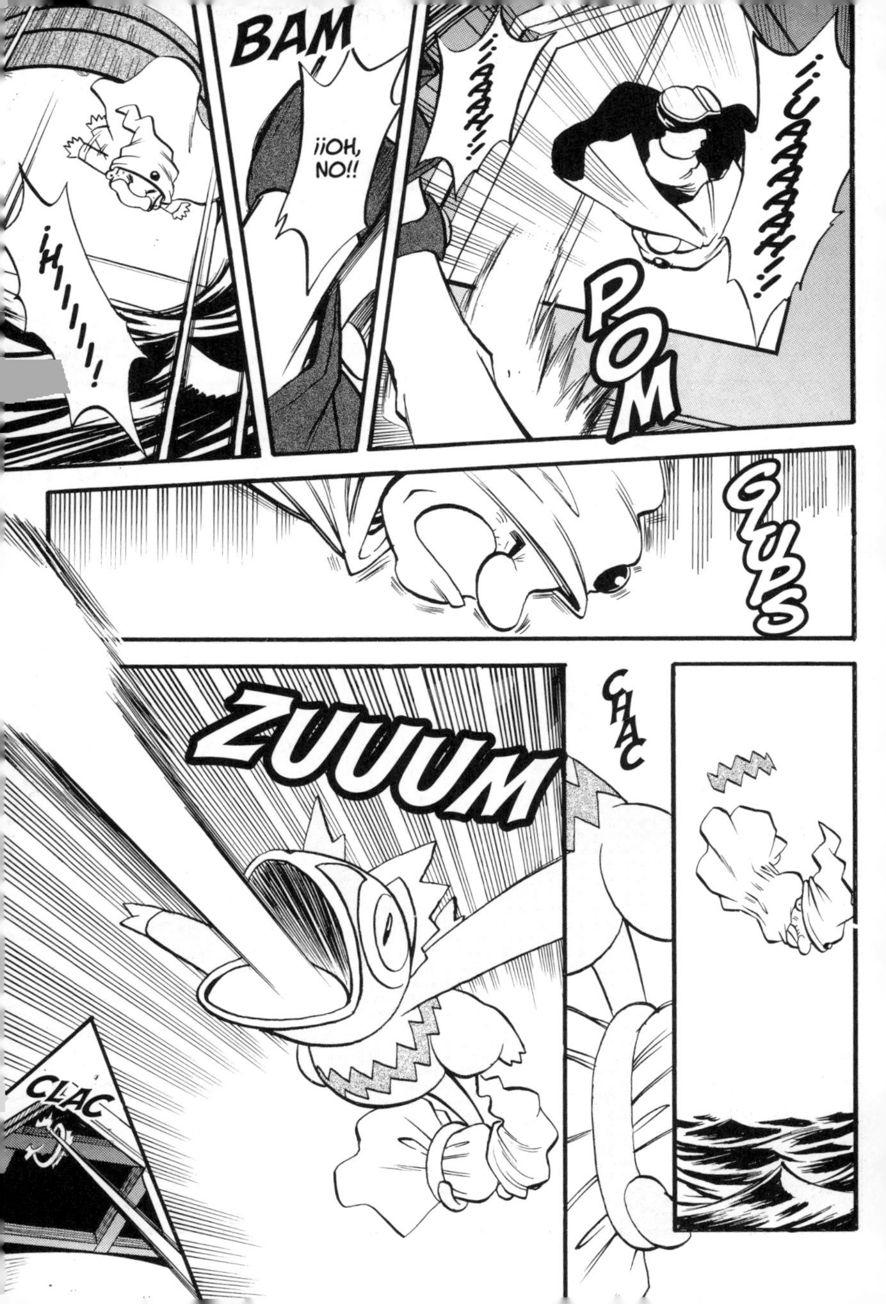
¡¡UAAAAAAAH!!
POM
¡¡AAAAH!!
BAM
¡¡OH, NO!!
¡HIIIIII!
GLUPS
CHAC
ZUUUM
CLAC

FIUUU
SLURP
BLOP
¡GRACIAS POR RES-
CATARME...!
¡¡BLAS-
CO!!
COF
COF

¡DE NADA!
¡AHORA IREMOS AL REFUGIO!
AFFF
BUF

¡HOP!
¡RURU, A LA RUTA 123!
FUOOOSH
¡¡VA-MOS!!
SHAAAA

...NO PENSABA QUE SE TRATARÍA DE UNA CIUDAD FLOTANTE EN MEDIO DEL MAR...
CUANDO LE CONOCÍ EN EL HOSPITAL DE PUEBLO VERDEGAL Y ME DIJO QUE IBA A ENSEÑARME UN LUGAR DONDE ME IBA A ENCONTRAR MUCHO MEJOR...
AL SALIR DE CIUDAD PETALIA NO IMAGINABA QUE PUDIERA OCURRIR ALGO ASÍ.
¿EEEH?
COF COF
¡QUÉ VA, AL CONTRARIO! ¡ESTOY FELIZ!
JA, JA, JA... ¿ESTÁS ENFADADO, CHAVAL?
SI NO HUBIERA VENIDO NO HABRÍA CONOCIDO A...
...CACTURNE Y ROSELIA.
¿NO OS PARECE, RURU Y KECLEON?
!!

¡LOS CUERNOS DE RURU ESTÁN BRILLANDO!
BRILLAN CUANDO CAPTA EMOCIONES...
¿HABRÁ CAPTADO LAS EMOCIONES DE RUBÍ...?
LO SIENTO, RURU.
ME GUSTARÍA LLEVARTE CON ÉL...
...PERO NO SÉ CÓMO ENCONTRARLO...
ESPERO QUE NO LE HAYA PASADO NADA EN MEDIO DE TODOS ESTOS FENÓMENOS EXTREMOS.
¿SEGUIRÁ ADELANTE CON LO DE GANAR LOS CONCURSOS?
¿UH?
¿QUÉ OCURRE, BLASCO?
AQUELLO...

¡¡ES UNA POKÉ BALL!!
¡¡Y, ADEMÁS, HAY UN POKÉMON DENTRO!!
¡¡SE LO VAN A TRAGAR LAS OLAS!!
RURU, USA CONFUSIÓN...
¡AH! ¡LAS OLAS SE LO TRAGA-RÍAN ANTES DE QUE LE ALCANZARA EL MOVI-MIENTO!
SERÁ MEJOR...
ARF...
ARGH

¡¡CACTURNE!!
¡¡AHORA!!
ZIIIIN
SPLOOSH
¡¡BRAZO PINCHO!!
ZUUU-KYUUU

CHAC
CHAC
CHAC
CHAC
CHAC
ZIUUU
ZAAAH
UFF
MENOS MAL.
¡AGUANTA!
¡ENSE-GUIDA TE BAJO!

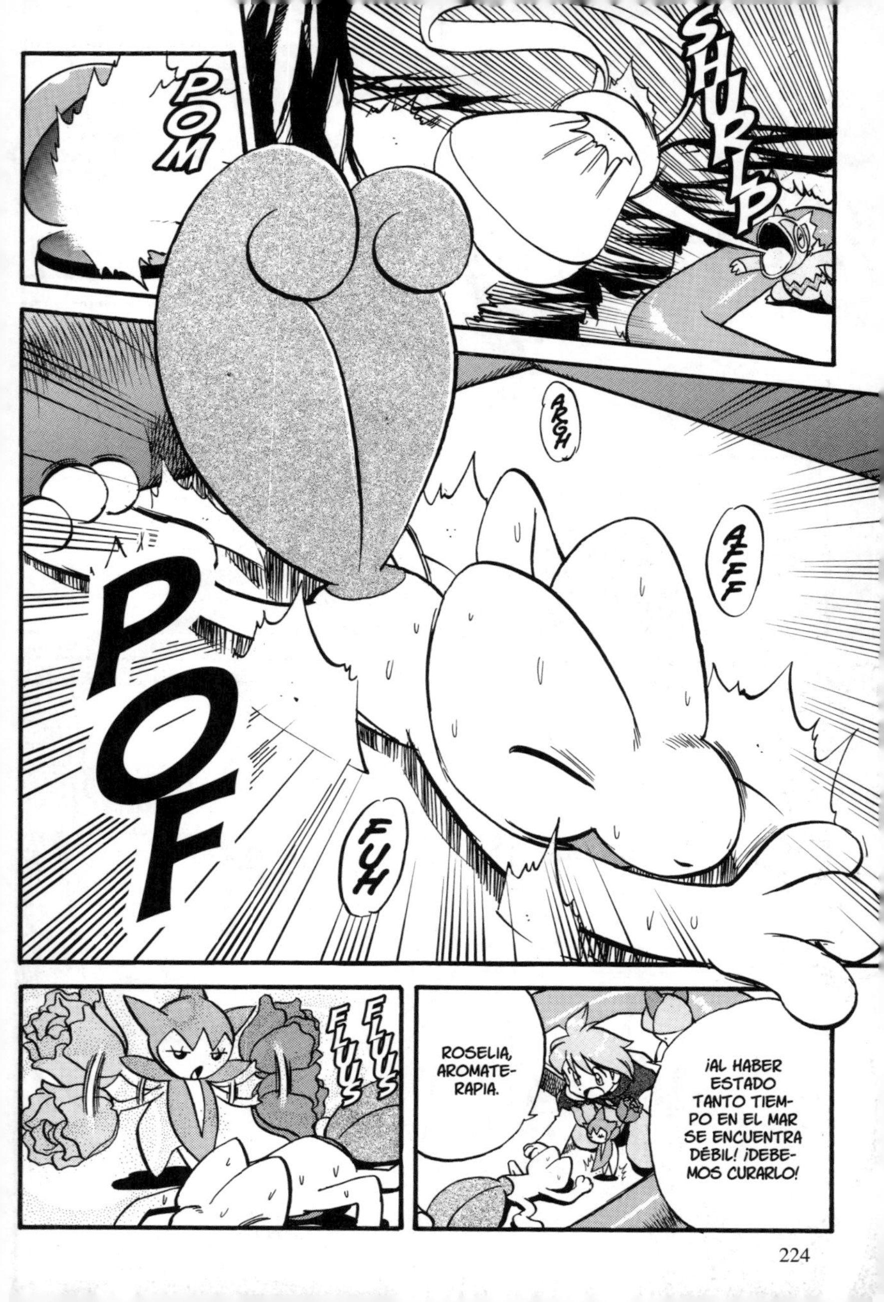
POM
SHURLP
ARGH
AFFF
POF
FUH
FLUUS FLUUS
ROSELIA, AROMATE-RAPIA.
¡AL HABER ESTADO TANTO TIEMPO EN EL MAR SE ENCUENTRA DÉBIL! ¡DEBEMOS CURARLO!

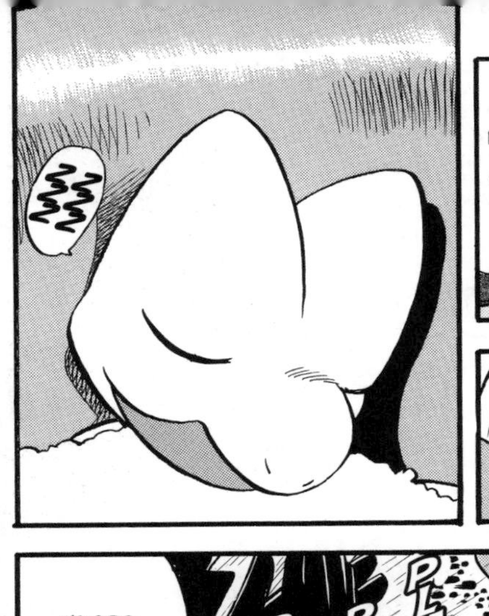
ZZZ

SU RESPI-
RACIÓN ES
ESTABLE.
AHORA
NECESITA
DORMIR.
ROSE-
LIA,
SILBA-
TO.

PLAS
PLAS
PLAS
HA SIDO
IMPRESIO-
NANTE.

FUUUOOOSH
HAS
DEMOSTRA-
DO UN GRAN
CONOCIMIENTO
DE LOS PO-
KÉMON.
FLAP
PERO...
TENGO
UNA PRE-
GUNTA.
FLAP
FLASH
¿POR QUÉ
HAS USADO
BRAZO
PINCHO?

RESPONDE.
ES UN MOVIMIENTO PODEROSO, PERO TAMBIÉN MUY PELIGROSO.
HAS ENGANCHADO HABILIDOSAMENTE LA MOCHILA, PERO, ¿Y SI HUBIERAS ATRAVESADO LA POKÉ BALL?
ZIUUU
CHAC
EN LUGAR DE RECUPERARLO LO HABRÍAS HERIDO.
Y AUN ASÍ LO HAS USADO.
CUÁNTA CONFIANZA...
¿QUIÉN...? ¿QUIÉN ES USTED?
FLASH
¡RURU!
¿POR QUÉ REACCIONAS ASÍ? ¿LO CONOCES?

¡¡RES-PON-DE!!
¡¿POR QUÉ TE HAS DECANTADO POR BRAZO PINCHO?!
AGH
UH... UUUH...
AZF
¡¡PORQUE TENGO CONFIANZA EN MIS PO-KÉMON!!
ESTABA SEGURO DE QUE MI CACTURNE IBA A ACERTAR SIN ATRAVESAR LA POKÉ BALL...
¡AUNQUE NO TENGO MUCHA CONFIANZA EN MÍ, CONFÍO TOTALMENTE EN ELLOS!
...
ZAH
ME HE EQUIVO-CADO, BLAS-CO.
TOMP
U... ¡US-TED!

¡¡SE-
ÑOR
NOR-
MAN!!
NO LE
VEíA DES-
DE CIUDAD
PETALIA...

ME EXTRAÑÓ NO VERTE EN EL EQUIPO DE RUBÍ... ASÍ QUE ESTABAS CON BLASCO.
¡¿ESTE RALTS ES RURU?!
FLU

POING
POING

...
COF COF
ES EL DESTINO...

QU... ¡¿QUÉ QUIERE DECIR?!
LO QUE ACABAS DE OÍR.

¡SE TE VE BIEN, ABUELO!
¡TE ESTABA ESPERANDO, NORMAN!

ACABO DE SER TESTIGO DE LOS PODERES LATENTES DE BLASCO. ES TAL COMO HABÍAS DICHO.

PERO EL MAR NO ES LUGAR PARA HABLAR DE ELLO.
VAYAMOS A UN SITIO APROPIADO PARA ENTRENAR.
!!
¡¿ENTRENAR?!
¡¿HA DICHO "ENTRENAR"...?!
CLARO, ME REFIERO A ENTRENAR PARA PULIR TUS HABILIDADES.
CONMIGO.
¿NO ME DIJISTE EN PETALIA QUE QUERÍAS APRENDER?
ENTONCES TE RECHACÉ, PERO HE CAMBIADO DE OPINIÓN.

EN AQUEL MOMENTO NO TE ACEPTÉ,
¡¡PERO AHORA LO HARÉ!!

CAPÍTULO 151: Contra Dusclops

QUERÍAS ENTRENAR CONMIGO...
¡¡TE OFREZCO LA OPORTUNIDAD QUE TE NEGUÉ!!
LO QUE YO QUERÍA ERA...
...APRENDER CON USTED...
...MEJORAR COMO ENTRENADOR...

VE, BLASCO.
TAMBIÉN QUIEREN IR TUS POKÉMON.
...
S... ¡SÍ!

ZAAH
FIUUU
PE... ¿PERO ADÓNDE VAMOS?
¡TODO HOENN ESTÁ SIENDO EVACUADO!
ESTÁ MUY CER-CA.
SE PUEDE VER DESDE AQUÍ.

¡¡EL PILAR CELESTE!!
FUOOOSH
A... ¡¡ALUCI-NANTE!!

FUOOOOOOSH
UNA TORRE GIGANTE QUE ATRAVIESA LAS NUBES...
QUÉ ALTURA...
¡ES CIERTO! ¡¡PARECE QUE ESTÉ SOS-TENIENDO EL CIELO!!
ENTRENA-REMOS AQUÍ.
AH.
SE... ¡¡SEÑOR NOR-MAN!!
NO PIER-DAS EL TIEMPO.
EL ENTRE-NAMIENTO HA COMEN-ZADO.

...
CLAC
S... ¡¡SÍ!!
PONTE ESTOS PROTECTORES EN EL BRAZO.
ENCAJA LAS POKÉ BALLS EN LAS MUÑECAS.
TE ESPERARÉ EN EL ÚLTIMO PISO.
¡¡¿¿EEEEH??!!
¿PERO QUÉ TENGO QUE HACER?
ES MUY FÁCIL.
SOLO TIENES QUE SUBIR LA TORRE Y ASCENDER NIVEL TRAS NIVEL.
SOLO ESO.

¿SOLO SUBIR POR LA TORRE?
¿CUÁNTAS PLANTAS HAY?
ZAH
ESO LO TIENES QUE AVERIGUAR TÚ SOLO.
HUMPF
CLAC
CLAC
EL PRIMER PISO...
CREC
CRAAAC
CRAC
¡¡UAAAAH!!

CAAAC
GÑÑÑN
FIU
FIU
E...
¡¡ERES TÚ...!!

ZIP
ZIP
ZIP
TOMP
ARF AGH... GRACIAS.
ESTA VEZ ME HAS SALVADO TÚ.

ASÍ QUE PUEDES PEGARTE A LAS PAREDES Y ESCALAR ALTURAS.

UN SOLO PASO...
Y EL SUELO SE HA ABIERTO ASÍ...

¡BIEN! ¡UNO MÁS!
TAP
TAP
TAP

ARF
AGH
ARF

HAY GRIETAS POR TODAS PARTES.
TIENE PINTA DE DERRUMBARSE A LA MÍNIMA.

SERÁ MEJOR EVITAR LAS GRIETAS...
TIP

¡¡UAH!!
CRAC

¡OH, NO! ¡NO PUEDO ATRAVESAR ESTE SUELO!
¡NORMAN, NORMAN!
...
¿QUÉ PUEDO HACER?
PODRÍA UTILIZAR LA CONFUSIÓN DE RURU PARA TRANSPORTARNOS.
PERO NO. RURU NO TIENE TANTO PODER COMO PARA SUBIR UNA TORRE TAN GRANDE.
¿EH?
!!

U... ¡¿UNA BICI?!
¿PERO QUÉ HACE EN UN SITIO ASÍ?
NO PUEDE SER...
¿SE SUPONE QUE DEBO USARLA?

¡¡ESO ES!!
¡¡EL SUELO SE DERRUMBA, PERO SI PASO SUFICIENTEMENTE RÁPIDO...!!

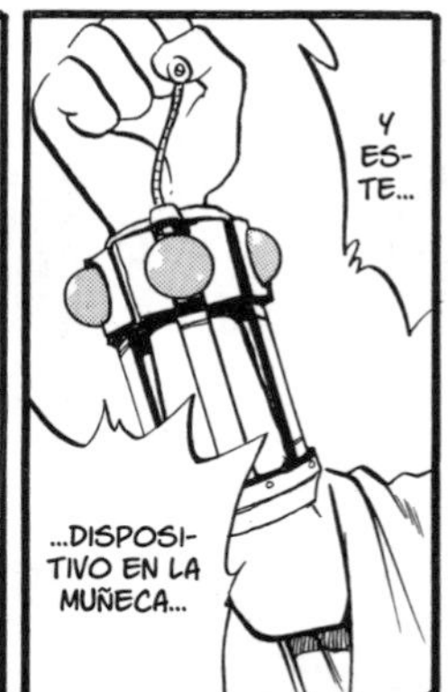
Y ESTE...
...DISPOSITIVO EN LA MUÑECA...

¡¡...ES PARA ABRIR LAS POKÉ BALLS MIENTRAS CONDUZCO!! PARECE QUE ANTES HE PULSADO EL BOTÓN SIN DARME CUENTA...

SEÑOR NORMAN...

ESTO ES PARTE DEL ENTRENAMIENTO...
ES CIERTO QUE ES UN HOMBRE AMBICIOSO... Y EL LÍDER DE GIMNASIO MÁS FUERTE.
LLEVA HASTA EL FINAL TODO LO QUE SE PROPONE.

EN FIN, SÉ QUÉ ES LO QUE HAY QUE HACER...
...PERO NO SÉ SI PODRÉ HACERLO...

...
ÑUC

¡¡SÍ!!
¡¡SE-GUIRÉ ADELAN-TE!!
FUI YO QUIEN PIDIÓ ESTE ENTRENA-MIENTO.
...ALGUIEN QUE AÚN NO HA CAPTURA-DO SU PRIMER POKÉ-MON...
ME HAN CONCEDIDO LO QUE TANTO DESEABA. ¡¡NO HAY NADA QUE ME HAGA MÁS FELIZ!!
SHUUU
¡MUY BIEN!
¡¡VAMOS ALLÁ!!
ZUUM

ZUUUM
¿PODRÁ SUBIR HASTA LA ÚLTIMA PLANTA?
¡¡POR SUPUESTO!! ¡¡TIENE QUE SUBIR HASTA EL FINAL!!
¡NOR-MAN!

LAS 50 PLANTAS DEL PILAR CELESTE.
SI NO TIENE FUERZA PARA SUBIRLAS, ENTONCES NO HAY NADA QUE HACER.

EL OBJETIVO ES MUCHO MÁS EXI-GENTE, ABUELO.

NO ES TAN DIFÍCIL COMO PARECE. ¡PONTE EN CONTACTO CON TRETO!
ENTEN-DIDO.

A VER...
T, R, E, T, O.
◀ TRETO

ZUUUM
CREEC
CRAAAC
ZAAAH
PAF
ARF
ARF
BUF
ZU
UUUM

SCREEECH
ARF, AGH... PEDALEANDO CON TODAS MIS FUERZAS HE LOGRADO CRUZAR POR LOS PELOS.
Y ENCIMA HE TENIDO QUE VÉRMELAS CON POKÉMON SALVAJES.
YA HE LLEGADO AL PISO 15. ¿CUÁNTOS MÁS QUEDARÁN...?
UH... COF, COF, COF
CLIC
CLAC
AAAH AFFF
GRACIAS, RURU... YA ESTOY MEJOR, VAMOS.
NO TE PREOCUPES.
NO PUEDO QUEDARME DESCANSANDO.
TENGO QUE SEGUIR HASTA LA ÚLTIMA PLANTA...
CLIC
CHAC

PLAN-
TA
20.
PLAN-
TA
30.
PLAN-
TA
40.

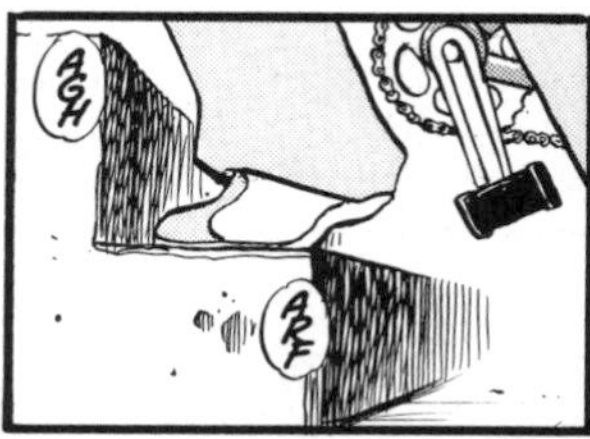
AGH
ARF

ARF
CU...
CUARENTA Y...
AGH
ARF
...NUEVE.
AGH

BUF
?

ZRRRR ZRRRR
!!

QU... ¿QUÉ PASA CON ESTA PLANTA?
ESTA ES DIFERENTE A LAS DEMÁS...

WII IIIH
SHUUUU
!!
FUAAAAAASH
¡¡UUUGH!!

¡ESTO QUE ESTABA EN LA MOCHILA HA CAPTADO ALGO!
¡ES COMO EL APARATO DE RUBÍ QUE MOSTRABA DATOS DE POKÉMON!
PIP
¡¡¿PERO QUÉ CLA-SE DE POKÉMON ES?!!
¡¡ME ESTÁ ATRAYENDO CON UNA FUERZA TERRI-BLE!!
ÁREA
GRITO
TAMAÑO
Nº 149 DUSCLOPS
POKÉMON ATRAYENTE
ALTURA 1,6 M
PESO 30,6 KG
DUSCLOPS ESTÁ COMPLETAMENTE HUECO POR DENTRO. DICEN QUE SU CUERPO ES COMO UN AGUJERO NEGRO. ESTE POKÉMON ES CAPAZ DE ABSORBER CUALQUIER COSA, PERO COSA QUE ABSORBA, COSA QUE NO DEJARÁ SALIR NUNCA MÁS.
¡¡DUSCLOPS ES UN AGUJERO NEGRO QUE LO ABSORBE TODO!!
BZZZZ
¡AHÍ VA LA BICI!
BAAAM
¡UAAAH!
YO...
¡¡TENGO QUE CORRER O ME ABSOR-BERÁ!!
BWWW

¡NO! ¡NO TIENE SENTIDO HUIR! MI OBJETIVO...
...ESTÁ ARRIBA.
UGH... ¡¡¿QUÉ PUEDO HACER?!!
CHAC
!!!
¿EEEH? ¡¿QUIERES SALIR DE LA POKÉ BALL?!
¡¡TE VA A TRAGAR!!

¿QUE MIRE ESTE APARATO?

¡¡ENTIENDO!! ¡CON ESTE MOVIMIENTO QUIZÁ PODAMOS...
...ATRAVESAR EL AGUJERO NEGRO!

¡DE ACUERDO! ¡NO ERES MI POKÉMON, NI HEMOS COMBATIDO JUNTOS...
CHAC
...PERO CREO EN TI!
¡¡VAMOS A ADENTRARNOS EN ESE AGUJERO NEGRO!!
SOLO POR ESTA VEZ... ¡PRÉSTAME TU FUERZA!
SHAAAA
ZUPZUUUUPZUUUUUUP

¡¡HOJA AGUDA!!
SHIIIIIIN
BOOOOM
BRRRRRR

SCREEEC
LO HEMOS CONSEGUIDO...
BAUM
GGG
¡AH! ¡HAS EVOLUCIONADO!
¡¡GRACIAS A TI!!

!!

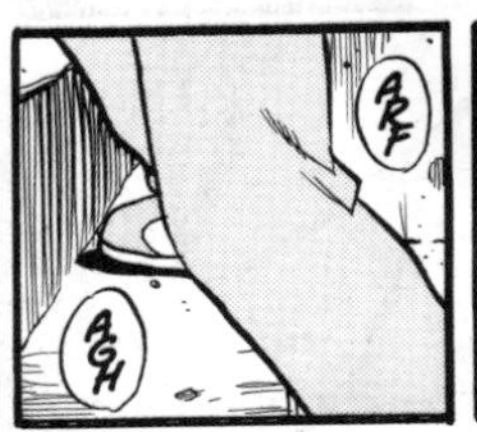
ARF
AGH

QUÉ BIEN, HEMOS PODIDO ATRAVESARLO.

ESTAMOS... EN LA PLANTA 50.
ARF
BUF
PARECE LA ÚLTIMA.

ARF
POR FIN HE LLEGADO... A LA ÚLTIMA PLAN... TA.
AGH

BLAM
N... NOR-MAN...

PIP
FZZZ... FZZZ... BUSCANDO... BUSCANDO... FZZZ

TE HAS ENFRENTADO AL AGUJERO NEGRO DE DUSCLOPS...
...CREANDO UNA ONDA VACÍO CON LA HOJA AGUDA DE GROVYLE.

SEÑOR... NORMAN.

AFFF... UH...

QUÍTATE LA MÁSCARA DE RESPIRACIÓN ASISTIDA...
S... SÍ.

TENGO UN APARATO QUE MUESTRA DATOS DE LOS POKÉMON.
HE CONSULTADO EL MOVIMIENTO DE ESTE GROVYLE Y ME HE DECIDIDO.

HA BASTADO CON QUE ENTRENARAS AQUÍ DURANTE UN CORTO TIEMPO. TU SISTEMA CARDIOPULMONAR SE HA HECHO VARIAS VECES MÁS FUERTE.

A ESTA ALTURA EL AIRE ES MUCHO MÁS LIGERO.

PUEDO RESPIRAR MÁS PROFUNDO...

ES...
...LA PRIMERA VEZ QUE DERROTO A UN POKÉMON SALVAJE.

Y TU CONFIANZA TAMBIÉN.

HUMPF

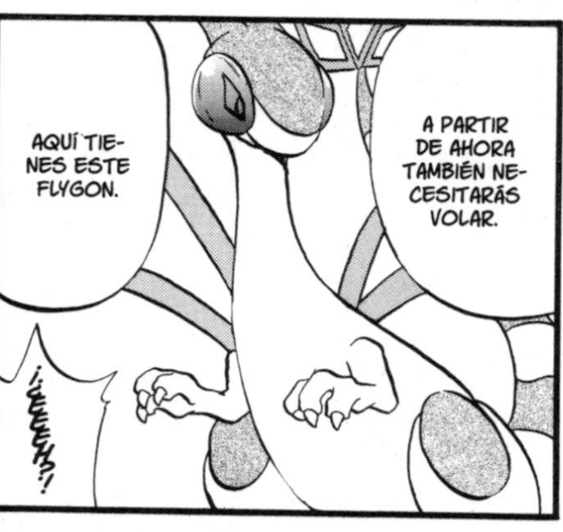
A PARTIR DE AHORA TAMBIÉN NECESITARÁS VOLAR.
AQUÍ TIENES ESTE FLYGON.
¡¿EEEEH?!

¡¿EN SERIO?! ¡¡MUCHAS GRACIAS!!
NO ME LO AGRADEZCAS.

¡¡CÉNTRATE EN EL SIGUIENTE ENTRENAMIENTO ESPECIAL!!
FUM
¡¡SÍ!!

CONFÍO EN TI, BLASCO.
¡¡EL VERDADERO OBJETIVO ESTÁ MÁS ALLÁ DE LA PLANTA 50!!

EN LA AZOTEA DEL PILAR.

BLASCO HA DADO UN PASO IMPORTANTE.

ÉL TAMBIÉN...
...SE UNIRÁ A RUBÍ Y ZAFIRO EN UNA TEMIBLE BATALLA.

HOENN SE ENCUENTRA EN SU HORA MÁS NEGRA, FRUTO DE LA CONFLUENCIA DE LA SEQUÍA Y LAS INUNDACIONES.

¡PRONTO SE REVELARÁ QUE BLASCO Y SUS POKÉMON TIENEN UNA MISIÓN VERDADERAMENTE IMPORTANTE EN LA RESOLUCIÓN DE ESTA CRISIS!

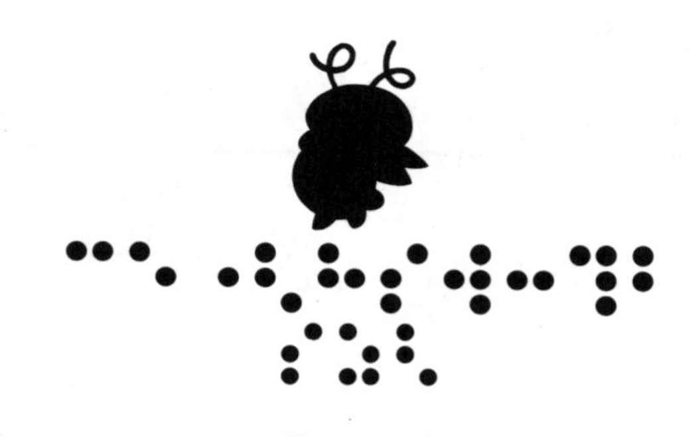

CAPÍTULO 152: Contra Volbeat

BRRRRRRM
BRRRRRRMMM
CA-
VERNA
ABISAL.
ES
EXTRA-
ÑO...
¿QUÉ QUIERE
DECIR ESTO,
AMBER?

NO LO
ENTIEN-
DO.
...KYOGRE VAGA
SIN RUMBO
POR LA RUTA
108...
...MIENTRAS
GROUDON
AMPLÍA EL ÁREA
AFECTADA POR
EL CALOR Y
LA SEQUÍA!!
¡ACABAMOS CON EL
VOLCÁN Y LOGRA-
MOS LIBERAR LA
ENERGÍA DEL MAR
A COSTA DE
LA TIERRA!
¡DES-
PERTAMOS
A KYOGRE
MEDIO DÍA
ANTES QUE
GROUDON!
¡¡Y A
PESAR
DE
ELLO...

¡¡GROUDON ACTÚA CON MUCHO MÁS VIGOR!!
¡¡Y DETRÁS SOLO PUEDE ESTAR
EL EQUIPO MAGMA!! ¡¡TIENEN QUE SER ELLOS!!
¡¡MAG-NOOO!!

¡AMBER, YA SABES LO QUE TIENES QUE HA-CER!
¡SÍ, EN-SEGUIDA, SEÑOR!
BRRRRRMMM
BRRRRRMMM

AF
AF
ARGH

¡UOOOH!
¡OOOOOOH!
AAAH....
JA, JA, JA, JA... ¡GENIAL!
¡GRACIAS A LOS PRISMAS CONTROLO A LOS DOS POKÉMON!
¿HAS VISTO... AQUILES?
¡¡NEUTRALIZAMOS A KYOGRE Y SOLO DEJAMOS ATACAR A GROUDON!!
¡¡EN UNA PALABRA, LA VICTORIA ES NUESTRA!!

POM
LÍ... ¡¡LÍ-
DER!!
¡EEEH!
¡¡LÍDER!!
¿ES-
TÁS
BIEN?
SÍ... SÍ...
TATIANO.
ES QUE ESTE
TRABAJO EXIGE
MÁS ESFUERZO
MENTAL DE
LO QUE PEN-
SABA...

DARLES
ÓRDENES
A LOS
DOS A LA
VEZ...
SI ME
DISTRAIGO UN
MOMENTO...
LAS COSAS
PUEDEN PO-
NERSE FEAS.
TATIA-
NO...
¿PODRÍAS
DARLE INS-
TRUCCIONES
A KYOGRE?
¿PUEDES
HACERLO?
¡¡SÍ, SÍ!!
¡CONFÍA
EN MÍ!
ÑUC
¡LOS DOS
PRISMAS SE
REPELEN
CUANDO
ESTÁN
CERCA!
¡VALE!
¡PROBARÉ
DESDE
MÁS LE-
JOS!

...
IMAGINO QUE DESDE AQUÍ VALDRÁ.
¡¡KYOGRE, PREPÁRATE PARA QUEDAR AÚN MÁS ECLIPSADO POR GROUDON!!
¡¿EH?! ¡¡ALGUIEN ESTÁ USANDO RÁFAGA!!
FLIP FLIP
PLOP

¡¿QUIÉN ESTÁ AHÍ?!
FUAAAAAH
FUAAAH
¡¡TOR-KOAL, BOSTE-ZO!!
UGH
POF
¡¡LO HE DOR-MIDO!! ¡TÚ, EL ESCONDIDO! ¡¡SAL DE UNA VEZ!!
PRISMAS QUE CONTROLAN A GROUDON Y KYOGRE...
ZAAH
CONQUE ERA ESO, ¿EH?
SE VE QUE NO TENÍAMOS MUY BIEN ES-TUDIADO EL ASUNTO.

¡¡TORKOAL, UN LANZAMIENTO MÁS!!
ES INÚTIL.
GU-GGG
¡HAS USADO TORMENTO PARA IMPEDIRNOS REPETIR EL MISMO MOVIMIENTO! ¿NO?
¡¿ERES DEL EQUIPO AQUA?!
NO TENGO QUE PRESENTARME ANTE UN RUFIÁN COMO TÚ.
¡¡ADELANTE, VOLBEAT!!
¡¡DOBLE RAYO!!
¡UAAAAAH!
WIIIIIH

FUOH
¡MALDITO! ¡¡ONDA ÍGNEA!!
SWAAAAASH
UAAAAAAGH
APROVE-CHARÉ LA OPOR-TUNI-DAD...
ZUUU
FRASH
¡¡JA, JA...!! ¡¡DEBES DE ESTAR CHAMUS-CADO!!
CHAC
¿TENÍAS INTENCIÓN DE HUIR EN EL SUBMA-RINO?

GGG.. GGG...
¡¡¿ESTÁS LOCO?!!
¡¿DEJAS ATRÁS A TUS POKÉMON PARA PERSEGUIRME?!
¿QUÉ PIENSAS HACER?
¡TORKOAL ESTÁ LISTO PARA USAR UN MOVIMIENTO!
FUASH
FAAAH
UGH...
ME DA IGUAL. LO ÚNICO QUE IMPORTA AHORA...
...ES QUE VOY A HACERME CON...
¡¡...EL PRISMA AZUL!!
¡¡ESO HABRÁ QUE VERLO!!
BZZZ

¡¿QU... QUÉ?!
ZIIIUM
¡¿EL MOVIMIENTO NO SURTE EFECTO?!
¡¿UH?!
¡¡EL PRISMA AZUL SE HA TRANSFORMADO EN UNA BAYA HIGOG!!
POM
T... ¡TÚ!
¡UOOOH!
MA... ¡MALDICIÓN!
BLAM
¡UAH, JA, JA, JA! ¡LO HE CONSEGUIDO, LÍDER!

¡USANDO TRUCO HE INTERCAMBIADO LOS OBJETOS QUE LLEVAN MIS POKÉMON POR LOS SUYOS...!
¡¡HE OBTENIDO EL PRISMA SIGUIEN-DO SUS INSTRUC-CIONES!!
ASÍ QUE ESTE ES... EL PRISMA AZUL.
¿CON ESTE FULGURANTE PRISMA PODRÉ CONTROLAR KYOGRE A VOLUNTAD?
ZAH
LÍDER, AHORA QUE HA FINALIZADO LA MISIÓN, ¿PODRÍA AYUDARME?
¡SUEL-TA!
¡ESTE TIPO ES ENORME Y NO PUEDO RETENER-LO MUCHO MÁS...!
CLANC
CLANC
ÑEEEC
GLUP

BLOR
BLORB
BLORB
BLORB

AMBER, GRACIAS POR TODO.
DISFRUTAD DEL PASEO EN SUBMARINO.
PILOTO AUTOMÁTICO
AUNQUE...

...HE QUITADO EL COMPONENTE ESPECIAL DE ARRANQUE.

A ESTA PROFUNDIDAD ES POSIBLE QUE EL CASCO NO AGUANTE LA PRESIÓN.
¡UGH!

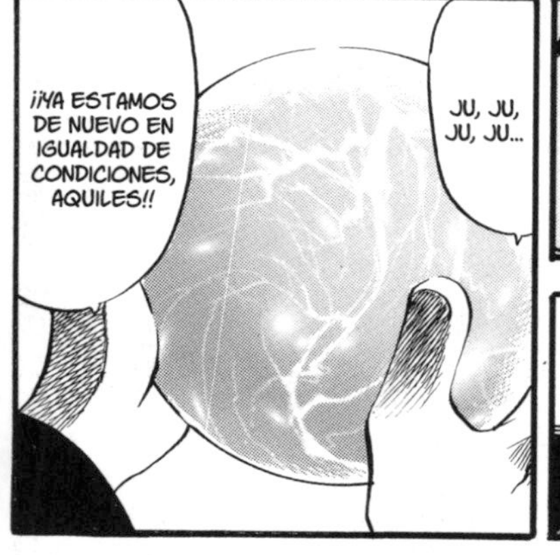
JU, JU, JU, JU...
¡¡YA ESTAMOS DE NUEVO EN IGUALDAD DE CONDICIONES, AQUILES!!

¡¡VEREMOS QUIÉN ES MÁS FUERTE: KYOGRE O GROUDON!!
¡¡SIN MÁS INTERFE-RENCIAS NI INTERRUP-CIONES!!

CLONC
CLANC

GI UUUUU

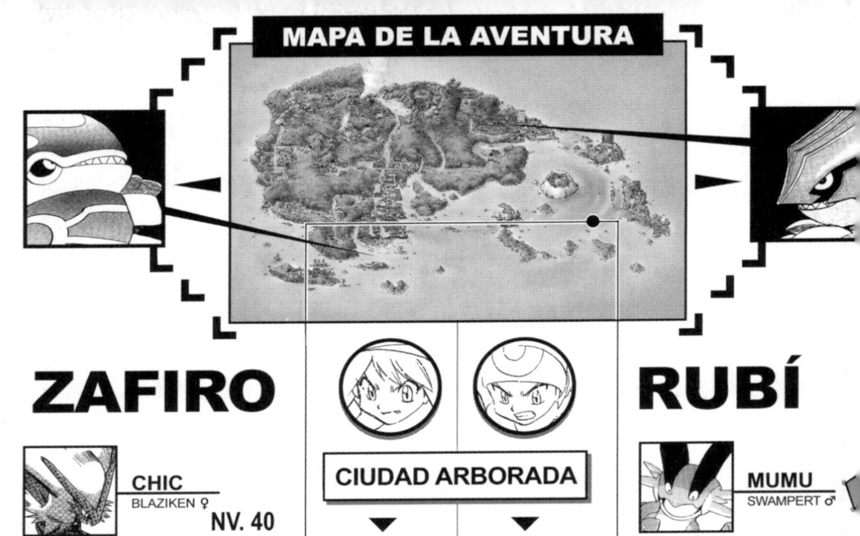

ZAFIRO

RUBÍ

CIUDAD ARBORADA

RUTA 123 | CIUDAD PORTUAL

RUTA 126

CAVERNA ABISAL

CHIC
BLAZIKEN ♀

NV. 40

RONO
LAIRON ♂
NV. 41

RELO
RELICANTH ♂
NV. 48

DONO
DONPHAN ♂
NV. 48

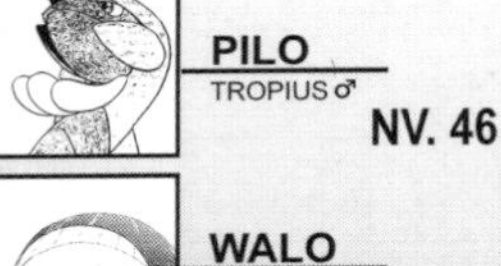

PILO
TROPIUS ♂
NV. 46

WALO
WAILORD ♂
NV. 48

MUMU
SWAMPERT ♂

NANA
MIGHTYENA ♀

COCO
DELCATTY ♀

POPO
CASTFORM ♀

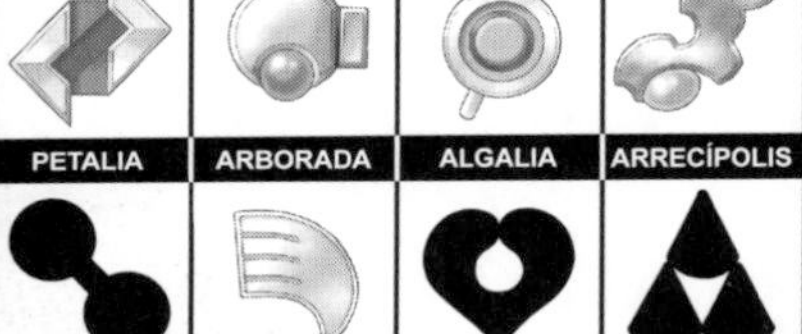

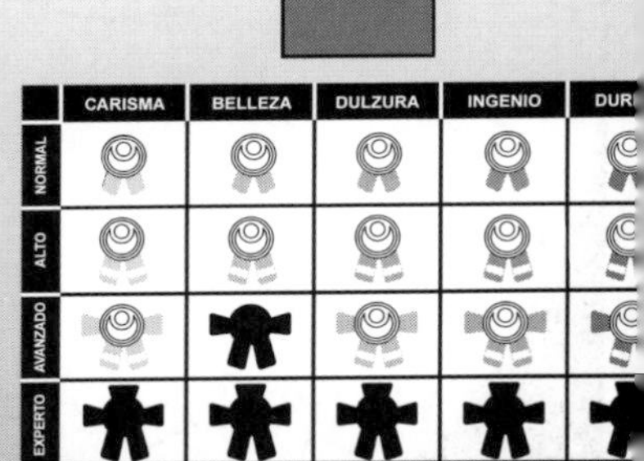

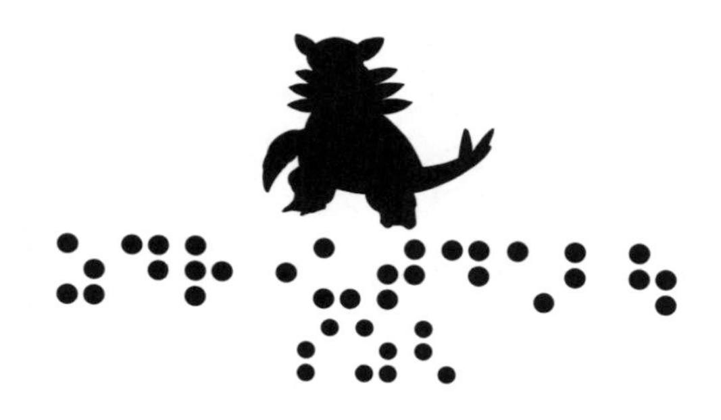

CAPÍTULO 153: Contra Armaldo

ZUUUUUM
WOOOOOOSH
FRRRAAAASH
TOMP

ARF, AH.
HEMOS LLEGA-DO.
LA ZONA MÁS PROFUNDA DE HOENN...

¡¡LA CAVERNA ABISAL!!

¿CUÁNTO TIEMPO HABRÁ PASADO DESDE QUE HEMOS SALTADO HASTA AHORA?
TENGO LA SENSACIÓN DE QUE EL VIAJE HA SIDO COSA DE UNOS INSTANTES, PERO A LA VEZ SIENTO COMO SI HUBIERAN SIDO DÍAS.

ESTE SITIO ES INQUIETANTE. ¡Y AL DESCENDER HEMOS VISTO PASAR EL SUBMARINO...!
ASCENDÍA A LA SUPERFICIE Y PARECÍA AVERIADO.

¿QUÉ HABRÁ PASADO CON LAS PERSONAS QUE VIAJABAN EN ÉL? ¿HABRÁN VUELTO? ¿SERÁ QUE ESTO ESTÁ DESIERTO?
NO...
PRESIENTO ALGO... HAY ALGUIEN ESCONDIDO EN LAS CUEVAS...

¡¡¿¿EEEH??!!
FLAS
¡¡UAAAAH!!
FLAS

¡¡¿CREES QUE ME HE OLVIDADO?!!
¡¡MUY BIEN, ESTAMOS AQUÍ PORQUE NOS ENSEÑASTE QUÉ PODÍA HACER RELO!!
¡¡¿Y QUÉ?!! ¡¡SIGO SIN CONFIAR EN TI!!
¡¡SI PIENSAS QUE VAMOS A COMBATIR JUNTOS ESTÁS MUY EQUIVOCADO!!
ZAH

LA CUEVA SE DIVIDE EN DOS.

¡ASÍ QUE HASTA LUEGO!
¡YO POR LA IZQUIERDA, TÚ POR LA DERECHA!

¡ÑUC!

ÑUC
¡EH! ¡EH! ¡¿QUÉ PASA?!
GGG
ÑUC

¡¡NO VOLVAMOS A LO DE SIEMPRE!!
¡¡QUÉDATE CONMIGO Y AVANCEMOS JUNTOS!!

¡NANA HA PERCIBIDO ALGO!
¡NO QUIERE QUE NOS ADENTREMOS EN LOS TÚNELES!

NANA ES DE NATURALEZA FIRME.
NO PIENSA ESCUCHAR. AUNQUE INSISTAMOS, NO CEDERÁ.

ZAAH

¡ESTÁ CLARO QUE HA CAPTADO ALGO!
MUY BIEN, NANA, ¡¡RASTREO!!
FAAAM
FIU FIU FIU FIU
SNIF SNIF SNIF SNIF
SNIF SNIF SNIF SNIF

TAP
TAP
TAP
TAP
TAP
TAP
TOMP TOMP TOMP
ZAAAH

CREEEC
CLOOONC
¡MALDI-CIÓOON! ¡¡EL SUBMARINO SE ESTÁ RESQUEBRAJANDO!!
FUASH
¡¡QUE NO ENTRE AGUA!!
¡¡ESO INTENTO!!
FUASH
¡¡TENEMOS QUE ESCAPAR DE AQUÍ!!
¡¡UN POCO MÁS Y HABREMOS EMERGIDO...!!
FSHAAA
¡¡TORKOAL, MÁS FLOTABILIDAD!! ¡¡AUMENTA LA EXPULSIÓN DE GASES LIGEROS!!
CRAAAC
BAAAUUUM

BLORB
BLORB
GGG
SHUUU
CHAC

ZUUUM
PIP PIP PIP PIP PIP PIIP
PIP PIP PIP PIP PIP PIIP
POM
SPLOSH
BLORB BLORB BLORB BLORB

TAH

TU MENSAJE DE S.O.S. HA SIDO TODA UNA SORPRESA, NO ESPERABA ENCONTRARTE AQUÍ, TATIANO.
Y VIENES CON ESTE COMANDANTE DEL EQUIPO AQUA.

ECHEMOS UN VISTAZO A LAS LLAMAS DE TUS RECUERDOS.
CHAC

FUOOSH

YA VEO...
UNA DE LAS ESFERAS HA IDO A PARAR AL EQUIPO AQUA.
YA NO HAY NADA QUE HACER.

Y A ESTE TIPO...

...SU PROPIO JEFE LO HA TRAICIONADO.
QUÉ PENOSO.

AUNQUE NO ES MI PROBLEMA. ESPERO QUE TUS COMPAÑEROS VENGAN A POR TI.
¡DESPIERTA, TATIANO! ¡TENEMOS TRABAJO QUE HACER!

UH... UH...

BLA.... BLAISE...
¿HAS VUELTO EN TI? SI NO TIENES NADA QUE HACER SERÁ MEJOR QUE VUELVAS AL TAJO.

¿DÓNDE...?
EN LA RUTA 121.

AHORA QUE GROUDON CAMPA A SUS ANCHAS, NOS LLEGAN NOTICIAS DE QUE LOS LÍDERES DE GIMNASIO ESTÁN TRATANDO DE OBSTACULIZARLO.
SERÁ MEJOR ECHAR UN VISTAZO.

Y YA ES HORA DE QUE CAROLA SE DEJE VER POR AQUÍ.
BIP

PIRRR
¡¡SÍ, AQUÍ CAROLA!!

BLAISE, YA LO HE VISTO.
GROUDON ESTÁ LIÁNDOLA DE LO LINDO...

¡CIERTO! ¡LA BATALLA AVANZA DE MARAVILLA!
POR CIERTO...
UNOS TIPOS LE ESTÁN CAUSANDO MOLESTIAS A GROUDON, ¿TE IMPORTARÍA UNIRTE A NOSOTROS?

BIEN.
¿DÓNDE ESTÁS AHORA?
UH...

EN CIUDAD ALGARIA.
EN EL CENTRO ESPACIAL DE CIUDAD ALGARIA.

PARECE QUE DOS INVASORES...
...SE ESTÁN ABRIENDO PASO HACIA EL INTERIOR.
TIENE MÉRITO VENIR HASTA AQUÍ PARA INTENTAR DETENERNOS.
PERO DA IGUAL.
PRONTO NO SERÁN MÁS QUE UN RECUERDO...

BRRRMM BRRRRMM

CAPÍTULO 154: Contra Kyogre y Groudon VIII

UH...
UGH...
¡UAH!
AFFF
ARF
BUF
UH... UH...
AMBER...
...GRACIAS POR TODO.
E... EN SERIO... ¿EN SERIO ME HA TRAICIONADO, LÍDER AQUILES?
¿DE VERDAD QUERÍA LIBRARSE DE MÍ?
¡¡NO!!

¡NO PUEDE SER!
¡¡SEGURO QUE LO HE ENTENDIDO MAL!! ¡¡O QUE SE HA PRODUCIDO ALGUNA INTERFERENCIA!!
MI LEALTAD SIEMPRE HA SIDO INCUESTIONABLE.
¡SEGUIRÉ ADELANTE CON LA MISIÓN!
PIP PIP PIP
POM
¡¡POR EL LÍDER!!
¡¡POR LA AMPLIACIÓN DEL MAR!!

FOAA AASH

ZUM

ZOOOOM

ZOOOOOOOM
CHAC

SHII IN
FSSHUAAAAA

GRUAAAR
¡¿DE DÓNDE SALE ESA MASA DE ENERGÍA?!
FLAAA
¡¡LA TEMPERATURA HA AUMENTADO DE GOLPE!!
¡¡PARECE QUE TAMBIÉN SE HA INCREMENTADO LA FUERZA DE GROUDON!!

CRAAAAC
BOOOOM
¡MACHOKE! ¡MACHOKE!
¡¿CÓMO HABRÁ LOGRADO ACUMULAR LA ELECTRICIDAD DE LA ATMÓSFERA LIBERÁNDOLA CON TRUENO?!!
¡AGUANTA, QUE AHORA TE
¡¡HARIYAMA, ESTÍMULO!!
FAAAAH
GROUDON...
BOM
BOM
¡¡ESTO SE ACABÓ!!
¡NO VAS A DAR NI UN SOLO PASO MÁS!
DASH

¡¡TU TRA-
YECTO
ACABA
AQUÍ!!
POM
¡¡NOSE-
PASS,
BLO-
QUEO!!
BRRRRUUUM

ZAM
ZAM
ZAM
ZAM
¡¡PE-
DRA-
DA!!
BAAAM
POMBAUMBAM
BAM
BAMBAM
¡¡UNA
LLUVIA
DE PIE-
DRAS
PARA
DETE-
NER-
TE...
...NO ES
MI IDEA DE
COMBA-
TE CON
ESTILO,
PERO...
¡¡CIERTO,
PETRA!!
...LO QUE
IMPORTA
AHORA ES
FRENAR TU
AVANCE!!
FIU

BAM
BAM
BAM
BAM
¡¡RICHARD, BOLA HIELO!!
¡¡PERO SI ES...
¡¡CON ESTE OPONENTE...
...LA ESTÉTICA DEBERÍA PASAR A SEGUNDO PLANO!!
...PLUBIO!!
RUBÍ Y ZAFIRO HAN VIAJADO HASTA LA CAVERNA ABISAL ARRIESGANDO SU PROPIA VIDA.
DASH

¡¡DEBEMOS HACER TODO LO POSIBLE...
...POR AYUDAR DESDE AQUÍ!!
¿SABÉIS? NOS HA COSTADO MUCHO DESPERTAR A GROU-DON...
...COMO PARA DEJAROS INTERFERIR EN SU AVANCE.
SI INSISTÍS EN SEGUIR ADELANTE...
...TEN-DRÉIS QUE VÉROSLAS CON NOSO-TROS.

CAPÍTULO 155: Contra Vibrava

¡¡NOSO-
TROS...!!
¡¡SOMOS EL TRIUNVIRATO DE FUEGO...
...DEL EQUIPO MAGMA!!

¡¡LO NUESTRO ES DESECAR EL MAR Y EXPANDIR LA TIERRA!!
POM
POM
POM
¡¡Y PARA ESO GROUDON DEBE CAMPAR A SUS ANCHAS!!
¡¡LOS LÍDERES DE GIMNASIO...
...OS EMPEÑÁIS EN REPRIMIR SU NATURALEZA!!
ZAM
¡¡CIUDAD CALAGUA A LA VISTA!!
CHAC
LA CIUDAD ESTÁ DESIERTA...
ZIU
¡¡UN CAMPO DE JUEGO IDEAL!!
FUM

ZUUUUUUM
BAM
BAUM
BAUM
BA
CALAGUA
FSSSSSH
ESTO ES...
¡¡EL MUSEO DE ARTE DE CALAGUA!!
ZAH

¡EL CENTRO COMERCIAL DE CALAGUA!
BIEN...

¿EMPEZAMOS?
¡EL MOTEL AGUACALA!

¡JA!
¡ME ESTÁN PONIENDO ENFERMA ESTOS LÍDERES DE GIMNASIO QUE TRATAN DE DETENER A KYOGRE!

¡VAMOS A AYUDARLO LIMPIANDO SU CAMINO DE OBSTÁCULOS!
¡PERO NECESITAMOS UNA ESTRATEGIA...!
¿EH?
BIP
AMBER
AMBER ESTABA EN LA CAVERNA ABISAL CON EL LÍDER, PERO PARECE QUE HA VUELTO.
¡¡ESTARÁ AQUÍ EN CUALQUIER MOMENTO!!
¡ESTUPENDO! ¡SEÑAL DE QUE LA MISIÓN EN EL FONDO DEL MAR VA VIENTO EN POPA!
¡JUNTOS, LOS TRES COMANDANTES APLASTAREMOS A LOS LÍDERES DE GIMNASIO...
...Y DESPEJAREMOS LAS VÍAS PARA LA BENÉFICA DESTRUCCIÓN PRACTICADA POR KYOGRE!
!!
ZUUUUUUM
¡YA ESTÁ AQUÍ!

FUUUM
¡¡DRAGO-
ALIENTO!!
!!
BAAAAM
¡¡ERICO,
MIRA...!!

¡¡ES ALANA!! ¡¡ALANA Y...
LA ORGANIZACIÓN DEL UNIFORME AZUL!!
BAM BAM BAM
¡¡ESTÁ COMBATIÉNDOLOS!!
¡¡EL PRESIDENTE ME HA RELEVADO EN MIS FUNCIONES!! ¡¡VUELVO A SER UNA LÍDER DE GIMNASIO MÁS!!
¡¡LAS DUDAS HAN QUEDADO ATRÁS!! ¡¡NO TENDRÉ PIEDAD CON VOSOTROS!!
POM
¡¡SKARMORY!!
¡¡ECO METÁLICO!!
WIIIIINH

¡¡ALTARIA, LANZA-LLAMAS!!
BAAAAUM
¡¡UAAAAGH!!
¡¡SKAR-MORY, AIRE AFILA-DO!!
FUUUUM
¡¡ESTU-PENDO, ALANA!!
¡¡CUIDA-DO!!
¡¡OH, NO!!
¡¡CANDELA, AYUDA A ALANA!! ¡¡YO ME OCUPO DE KYOGRE!!
¡¡ENTEN-DIDO!!
¡¡VAMOS, VULPIX!!
¡¡FUEGO FATUO!!
POM

!!
¡¡GRA-
CIAS,
CANDE-
LA!!
JE,
JE...
FUAAAAH
¡¡UAAAGH!!
¡¡MAL-
DITO
ESTOR-
BO...!!

T...
¡¡TÚ...!!
¡¡ES-
TABAS
EN EL
MONTE
CENI-
ZO!!
¡¡DE
ESTA
VEZ
NO PA-
SA!!
¡¡HOY
VOY A
DERRO-
TARTE!!

ZAH
¡JA! ¡MOCO-SA!
BAM BAM BAM
BAM BAM BAM
BAM BAM BAM
AAARGH...
HE DICHO QUE ME OCUPA-RÍA YO SOLO...
...PERO LA VERDAD ES QUE NO TENGO NADA QUE HACER...
¡¡SU PODER PARECE MAYOR A CADA MO-MENTO!!
¡¡Y ESTÁ MÁS DETERMINA-DO A SEGUIR ATACANDO!!

NO SON IMAGINACIONES.
LE HE HECHO ENTREGA DEL PRISMA AZUL...
...A NUESTRO LÍDER AQUILES.
KYOGRE...
KYOGRE SIGUE TODAS Y CADA UNA DE SUS ÓRDENES...
FUAAAAAAAASH
JU, JU, JU, JU, JU.

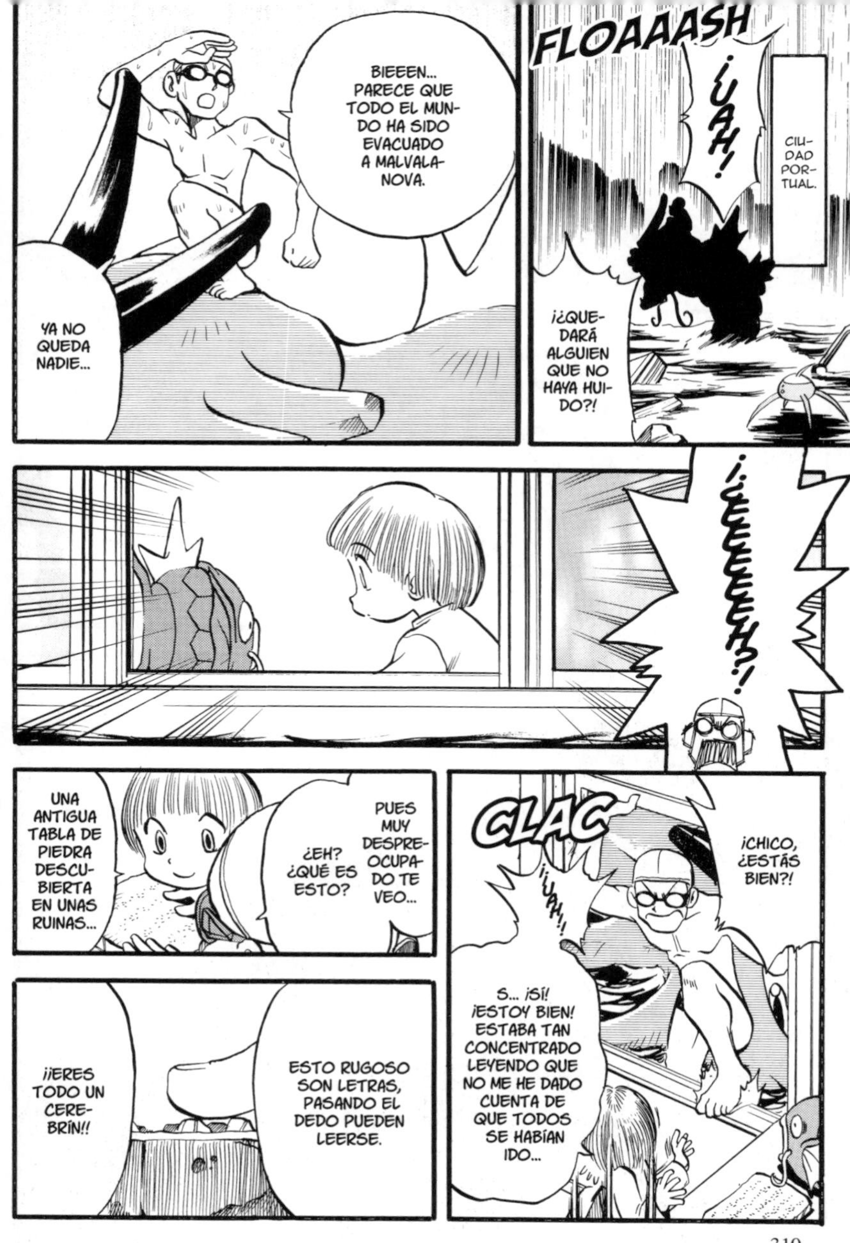
FLOAAASH
¡UAH!
CIUDAD PORTUAL.
¡¿QUEDARÁ ALGUIEN QUE NO HAYA HUIDO?!
BIEEEN... PARECE QUE TODO EL MUNDO HA SIDO EVACUADO A MALVALANOVA.
YA NO QUEDA NADIE...
¡¿EEEEEEEEH?!
CLAC
¡CHICO, ¿ESTÁS BIEN?!
¡¡UAH!!
S... ¡SÍ! ¡ESTOY BIEN! ESTABA TAN CONCENTRADO LEYENDO QUE NO ME HE DADO CUENTA DE QUE TODOS SE HABÍAN IDO...
PUES MUY DESPREOCUPADO TE VEO...
¿EH? ¿QUÉ ES ESTO?
UNA ANTIGUA TABLA DE PIEDRA DESCUBIERTA EN UNAS RUINAS...
ESTO RUGOSO SON LETRAS, PASANDO EL DEDO PUEDEN LEERSE.
¡¡ERES TODO UN CEREBRÍN!!

¿PERO DÓNDE HAS APRENDIDO ESTE EXTRAÑO LENGUAJE?
¡ME LO ENSEÑÓ UN CHICO GENIAL QUE CONOCÍ EN EL HOSPITAL!
¡DIJO QUE ERA CAMPEÓN!
CA... ¡¿CAMPEÓN?!

¡SÍ! ¡¡CAMPEÓN DE LA LIGA POKÉMON Y...
...CABEZA DE UN PODEROSO GRUPO LLAMADO ALTO MANDO!!

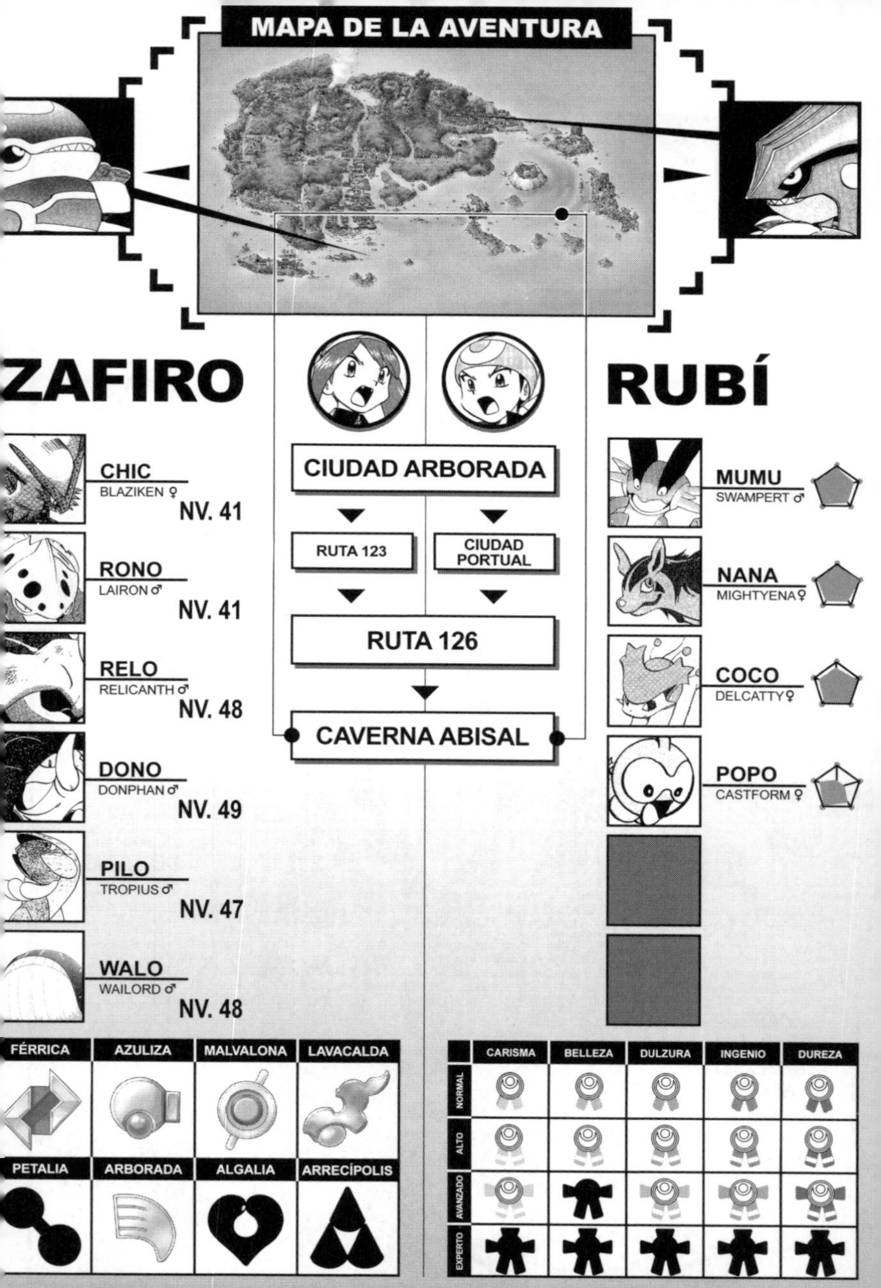

MAPA DE LA AVENTURA
ZAFIRO
RUBÍ
CIUDAD ARBORADA
RUTA 123
CIUDAD PORTUAL
RUTA 126
CAVERNA ABISAL
CHIC
BLAZIKEN ♀
NV. 41
RONO
LAIRON ♂
NV. 41
RELO
RELICANTH ♂
NV. 48
DONO
DONPHAN ♂
NV. 49
PILO
TROPIUS ♂
NV. 47
WALO
WAILORD ♂
NV. 48
MUMU
SWAMPERT ♂
NANA
MIGHTYENA ♀
COCO
DELCATTY ♀
POPO
CASTFORM ♀
FÉRRICA
AZULIZA
MALVALONA
LAVACALDA
PETALIA
ARBORADA
ALGALIA
ARRECÍPOLIS
CARISMA
BELLEZA
DULZURA
INGENIO
DUREZA
NORMAL
ALTO
AVANZADO
EXPERTO

CAPÍTULO 156:
Contra Ninjask

FUOOOOOSSSH

JU, JU, JU, JU...
SPLASH SPLASH SPLASH SPLASH
¡¡ATENCIÓN, LLEGAN NUEVOS ENEMIGOS DESDE EL MAR!!
¡¡ERICO, ES UN COMANDANTE DEL EQUIPO AQUA!! ¡¡DIRIGÍA LA OPERACIÓN EN EL MONTE CENIZO!!
¡¡RESERVA Y...
BLORB BLORB
...TRAGAR!!
¡¡RESERVA Y...
FUM
...ESCUPIR!!

BAM
¡¡UGH!!
IMPRESIO-
NANTE,
¿NO?
ES UN
COMBATE
DE TRES
CONTRA
TRES...
¡¡HA LLEGADO
EL MOMENTO
DE NUESTRO
ENFRENTA-
MIENTO...!!
VS
VS
VS
FLOAAAASH
¡¡PERO
LUCHAR
CON ELLOS
SIGNIFICA
DEJAR
TERRENO
LIBRE
A KYO-
GRE!!
ZUUUUM
SERÁ
MEJOR
QUE NO
TE DES-
PISTES...
ESTÁ
BIEN...
¡¡VAMOS!!
TOOMP
TOOMP
TOOMP
ZUUUM

¡¡AGUA CONTRA ELECTRICIDAD!! ¡¡ME IMAGINO QUE TE DARÁS CUENTA DE TU PEQUEÑA DESVENTA-JILLA...!!
BAM
¡ESTE PELIPPER ESTÁ FUERA DE COMBATE! BIEN, QUE PASE EL SIGUIENTEEE...
BUENO, ¿QUÉ OCU-RRE?
EL RESTO DE MIS POKÉMON ESTÁN EN LA CAVERNA ABISAL...
CO... ¡¿CÓMO?!
¡YA TE DEJO ESTE!
ZAS
¡GRACIAS, SILVINA!
PAH
¡OH! ¡ESTE ES EL MEJOR DE TO-DOS!
¡¡VAMOS, NINCADA!!
POM

BOM
¡¡UUGH!!
¡¡MANEC-
TRIC!!
DASH
¿EH...?
¿QUÉ...?
PUES QUÉ
DECEPCIÓN, ¿Y
ESTE ERA EL
MEJOR?
GRAAAR
POF
¡¡RUGI-
DO!!
NO
ENTIENDES
POR QUÉ HE
EMPLEADO
A NINCADA,
¿EH? JU, JU,
JU, JU...
BIEN...
AQUÍ
TIENES
LA RES-
PUESTA...
FUOOO
FUOOO
HMMM... PARECE
QUE RUGIDO LO HA
DEJADO FUERA DE
JUEGO, Y NO PARECE
QUE TENGA INTEN-
CIÓN DE CAM-
BIARLO POR
OTRO...
¡¿SERÁ
VERDAD
QUE NO TIE-
NE OTROS
POKÉMON...?!

¡¿QUIERES SABER POR QUÉ ESTE POKÉMON ES EL MEJOR?!
SHOOOO
¡OH, NO!
¡ESTÁ EVOLUCIONANDO!
BIBIBIBIBI
FUM
ZUUUUM

¡¡QUÉ VELOCIDAD TAN ENDIABLADA!! ¡¡NI SIQUIERA ALCANZO A VERLO!!
¡¡CLARO, HABÍA ANTI-CIPADO SU EVOLUCIÓN!!
BAM
BAM
BAM
BAM
BAM
BAM
BAM
¡¡UAAAAH!!
JU, JU, JU... ¡NINCADA HA EVOLU-CIONADO A NINJASK!
¡Y SU HA-BILIDAD ES IMPULSO!
FIUUUM
¡ES INCREÍ-BLEMENTE RÁPIDO Y SU VELOCIDAD NO DEJA DE AUMENTAR!

FUOH
BAUM
¡¡CONTRA-RRESTA LA VELOCIDAD CON VE-LOCIDAD!! ¡¡DOBLE EQUIPO!!
¡¡EN UNA SITUACIÓN EXTREMA ESTOY DIS-PUESTO A ARRIESGARME YO MISMO!!
FZZZZZZ
¡¡OH, NO!!
!!
¡¡OH, SÍ!!
¡¡HE DESPLE-GADO A MANEC-TRIC!!

ZZZAAM
¡¡TRUENO!!

BZZZ

BOM

MIENTRAS PARALIZABA A NINJASK, MANECTRIC HA LIBERADO TRUENO UTILIZÁNDOSE A SÍ MISMO COMO CONDUCTOR...

¡¿QUÉ?! ¡¿IMPRESIONADO?!
UH...
¡MANECTRIC YA NO PUEDE COMBATIR, PERO TÚ YA NO TIENES MÁS POKÉMON!

¡YO SÍ! LO QUE SIGNIFICA QUE...
¡¡HE GANADO!!

¡POM!

TE...
TENÍAS OTRO...
¿PERO CÓMO...?

ESTÁ CLARO QUE ERES EL LÍDER DE GIMNASIO MÁS VETERANO...
NO ME HE CONFIADO EN NINGÚN MOMENTO, A PESAR DE TU JOVIALIDAD. HAS COMBATIDO DE MODO IMPRESIONANTE, LÁSTIMA QUE TE HAS DESCUIDADO.
AL EVOLUCIONAR NINCADA SE CONVIERTE EN DOS POKÉMON. EL POKÉMON NINJA NINJASK...
...Y EL POKÉMON MUDA SHEDINJA.

NO LO SABÍAS, Y POR ESO HAS PERDIDO.
BAM

¡¡ERICO!!
ERICO...
¡¡HA SIDO DERROTADO!!

¡¡ERICO?!
ÑUC
ZAH
NO VAS A NINGÚN LADO.

HOLA, SOY TU OPONENTE. ¿TE ACUERDAS DE MÍ?
POM...

FUM FUM FUM
DETENER...
A KYOGRE...
PROTEGER... HOENN.
FUUUM
SPLASH
SPLASH

UNO...
...MENOS...
¡¡ÉRICOOOOOO!!

MAPA DE LA AVENTURA

ZAFIRO

RUBÍ

CIUDAD ARBORADA

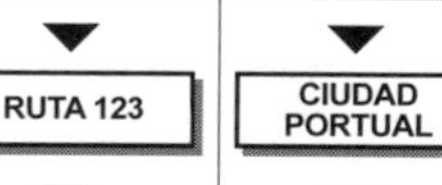

RUTA 126

CAVERNA ABISAL

CHIC
BLAZIKEN ♀
NV. 42

RONO
LAIRON ♂
NV. 41

RELO
RELICANTH ♂
NV. 49

DONO
DONPHAN ♂
NV. 50

PILO
TROPIUS ♂
NV. 48

WALO
WAILORD ♂
NV. 48

MUMU
SWAMPERT ♂

NANA
MIGHTYENA ♀

COCO
DELCATTY ♀

POPO
CASTFORM ♀

FÉRRICA	AZULIZA	MALVALONA	LAVACALDA
PETALIA	ARBORADA	ALGALIA	ARRECÍPOLIS

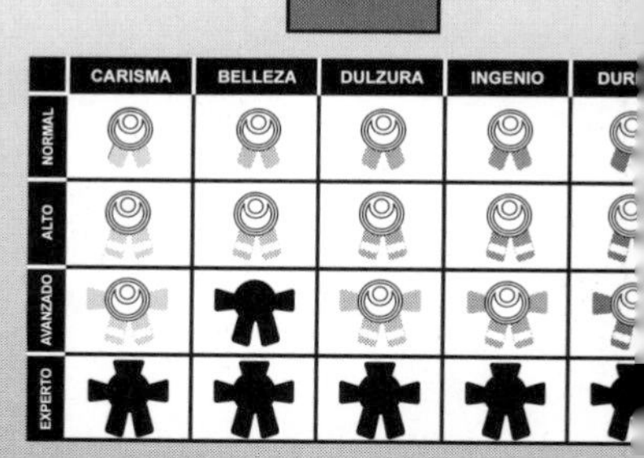

CAPÍTULO 157:
Contra Kyogre y Groudon IX

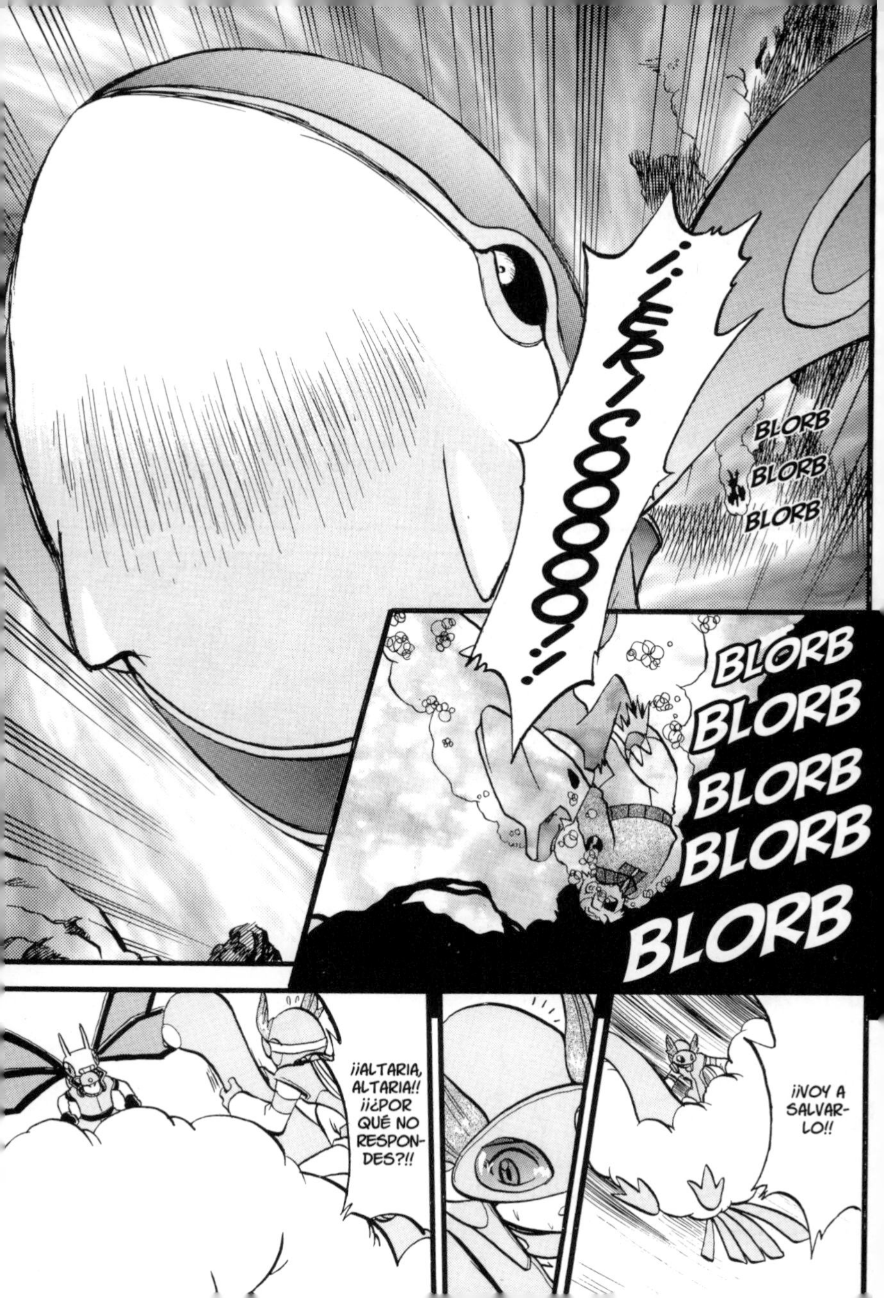
¡¡ÉRICOOOOOOO!!
BLORB
BLORB
BLORB
BLORB
BLORB
BLORB
BLORB
BLORB
¡¡VOY A SALVAR-LO!!
¡¡ALTARIA, ALTARIA!! ¡¡¿POR QUÉ NO RESPON-DES?!!

¡¡SE ENCUENTRA BAJO LA MOFA DE MI SHAR-PEDO!!

¡¡ALTA-RIA, AL-TARIA!!
GRRR
¡¡¿ES POR ESO QUE NO HACE CASO A MIS INSTRUC-CIONES?!!
¡¡TODO PARA MAN-TENERME AQUÍ CLA-VADA!!
¡¡AL MENOS DEBO RECO-NOCEROS UN GRAN TRABAJO EN EQUIPO!!
¡¡POR SUPUES-TO!!

¡POR ALGO SO-MOS LOS SSS,
SUBLEADERS OF THE SEA SCHEME!
¡COMANDAN-TES DEL COMPLOT MARINO!
¡ERI-CO...!
GRRR

¡¡MÁS ALTOOOS?!!
GROAAAAAR
PAF
¿CREES DE VERDAD QUE LA FUERZA PUEDE VALER...
FUUUUU
...PARA DERROTAR A LOS ORGULLOSOS COMANDANTES DEL EQUIPO AQUA?
¡¡AAAH!!
BAAAAM
¡¿DE DÓNDE HA VENIDO ESE MOVIMIENTO?!
ZAAAH
AÚN NO LO HAS VISTO TODO...

¡¡AAAH!!
¡UGH!
ZAAAAAAM
FUAASH
¡¡UAAAH!!
¡¡COF, COF!!
JU, JU, JU... ¿SORPRENDIDA?
ES ADAPTACIÓN, EL MOVIMIENTO DE LUDICOLO.
¿ADAPTACIÓN?
FUH FUH

EXACTO.
EL RESULTADO ES DISTINTO DEPENDIENDO DEL ENTORNO NATURAL.
SI SE ESTÁ AL LADO DEL AGUA PUEDE SER HIDROBOMBA O SURF, Y SI SE ESTÁ RODEADO DE VEGETACIÓN, HOJA AFILADA
O PARALIZADOR.
YA VEO.
EN OTROS LUGARES EL RESULTADO ES TERREMOTO O BOLA SOMBRA.
LO CIERTO ES QUE EL PODER DE LA NATURALEZA ES IMPRESIONANTE.
Y LA FUENTE DE ESTE MOVIMIENTO EN PARTICULAR LA PROVEE
EL MAR.
LA MADRE DE TODA LA VIDA SE MERECE...
...TODOS NUESTROS ESFUERZOS POR EXTENDER SU SUPERFICIE.
NUESTRAS ACCIONES ESTÁN GUIADAS POR UN FIN NOBLE.

PARA ELLO, NO QUEDA MÁS REMEDIO...
...QUE HACER ALGÚN QUE OTRO SACRIFICIO.
COMO VOSOTROS, LOS LÍDERES DE GIMNASIO...
O EL INGENUO DEL PROFESOR COZMO...
JU, JU, JU... SACRIFICIOS POR UN ESPLÉNDIDO FUTURO...
ANIMAOS, PUEDE QUE ALGUIEN OS LO AGRADEZCA.
¡¡LA VICTORIA ES NUESTRA!!
TAH
TAH
TAH

MUSEO
DE ARTE
DE CA-
LAGUA.
MUSEO
FOASH
UFFF...
¡¿Y ESTAS LLAMAS SINIES-TRAS?!
¡ASÍ ES IMPOSIBLE DISTINGUIR A MI OPO-NENTE!
BAM...
¡OH, NO! ¡LAS QUE-MADURAS LO HAN DEJADO FUERA DE COMBATE!

¡¡MUÉS-TRALE TUS AGALLAS, MACHO-KE!!
Y AHORA...
BOM
¡¡DESQUITE!!
¿QUÉ OS PARECE? LA HABILIDAD AGA-LLAS AUMENTA EL ATAQUE CUANDO EL POKÉMON SU-FRE UN FUERTE GOLPE.
POM
¡¡Y CON DESQUITE HE DOBLADO LA INTEN-SIDAD!!
¡¡SE HA DES-VANE-CIDO!!
¡¡ERA SOLO UNA ILU-SIÓN!!
¡¡DEMASIADO DÉBIL PARA COMBATIR?!
!!
POF

FUUUH
¡¡UAAAAAAH!!
FUUUUH
¡¡UOOOOOH!!
CA... ¡CÁLMATE, MACHOKE!
¡¡NO ES REAL!!
?!
UH

¿NO TE RINDES?
FLUOH
MIS ATAQUES ILUSORIOS AFECTAN DIRECTAMENTE A LA MENTE...
Y NO SERÁ FÁCIL ESCAPAR DE SU INFLUJO.

...
BLOF
POM
NO COSTARÁ DEMASIADO...
PORTAOS BIEN MIENTRAS GROUDON AVANZA.

GROAAR
NI LO SUEÑES... NO VAMOS A DEJAR DE PLANTAR CARA.

EN CUANTO A MÍ, SOY UN EXPERTO EN EL SECRETO DEL JU.
ESTE ARTE MARCIAL NO SE OPONE A LA FUERZA DEL ENEMIGO, SINO QUE SE SIRVE DE ELLA.
CLANC
CLARO QUE PARA ESO NECESITO QUE EL OPONENTE ME ATAQUE...
?

CUANDO ME ENCUENTRO CON UN ENEMIGO COMO TÚ QUE EVITA EL ATAQUE DIRECTO...
¡...DEBO CAMBIAR DE ESTRATEGIA!
CLANC
¡¡¿¿QUÉ??!!
FIU
FIU
FIU
FIU
ANTES DE QUE EMPEZARA TODO ESTO SALÍ AL ENCUENTRO DE UN VIEJO AMIGO PARA PARTICIPAR EN UNA CAMPAÑA DE ENTRENAMIENTO.
DE ÉL HE APRENDIDO EL REVERSO DEL SECRETO DEL JU...
FIU
FIU
ZUU
¡¡EL SECRETO DEL GO!!
POM

¡¡SOR-
PRESA!!
PAF
¡¡NO
RETRO-
CEDÁIS!!
FOAAASH
¡OOOOOH!
AARGH

DAM
DAM
¡¡EMPUJÓN!!
¡¡EMPUJÓN!!
BAM
¡¡EMPUJÓN!!
BAM
¡¡EMPUJÓN!!
LAS LLAMAS QUE ME RODEAN TIE-NEN PODER SOBRE MI MENTE...
¡¡PERO SOLO HASTA QUE SON EXTINGUI-DAS!!
CHAN
¡COM-BATE CONMI-GO...
...AMIGO BRUNO!

FUUUUM
¡¡VICTORIAAAAAA!!

CAPÍTULO 158: Contra Kyogre y Groudon X

BAM
BAM
BAM
BAM
¡¡VICTORIAAAAA!!
¡¡UUUGH!!
!!
MOTEL AGUA
FLOOSH
¡¡BOOOOM!!
¡¡EL MOVIMIENTO DE MARCIAL HA PRODUCIDO UNA EXPLOSIÓN!!

¡EH, UN POCO DE ATEN-CIÓN, QUE ESTOY AQUÍ!
FASH
POM
¡¡ME PARECE PERFEC-TO!!
CHAC
¡¡MUY BIEN, CRADILY!! ¡ADELANTE!
CHUC
CHUC
QUÉ PRISAS TENE-MOS...

¡¿CREES QUE NO SÉ LO QUE ESTÁS HACIENDO?!
GROUDON ESTÁ BAJO LA INFLUENCIA DEL BLOQUEO DE MI NOSEPASS.
ESTÁS INTENTANDO DESTRUIR EL BLOQUEO PARA LIBERAR A GROUDON.
¡¡NO ERA TAN DIFÍCIL!!
ÑUC
ÑUC
¿ES QUE PIENSAS DERROTARNOS A BASE DE EMPUJONCITOS?
¡¡NO LO TOMES A MAL, PERO VOY A EXPRIMIR A TU POKÉMON!!
FUUUUUM
BAM
FLAP
FLAP
PLOF
!!

ZAAAM
PUUUM
¡¿ESTÁ RECUPE-RANDO LAS FUER-ZAS?!
LE SIENTA MUY BIEN EL SUELO DE TATAMI DEL MOTEL.
EN UN SUELO DE CEMENTO O DE MÁRMOL NO FUNCIO-NARÍA.

BAM
BAM
BAM
BAM
¡¿QUÉ ES ESO?!

ZUAASH
!!

¡¡ES ARRAI-GO!!
¡¡DARLE LA VUELTA A UNA SITUACIÓN DESFAVORABLE APOYADA EN LA ESTRATEGIA Y CONOCI-MIENTO!!
¡¡ESE ES MI ESTI-LO!!

CRAAC
CRAAC
CREEC
!!
¡¿QUE-DARÁ GENTE EN EL MOTEL?!
FSSSH

FSSSH
¡¡HIIIII!!
¡UAAAH!
¡SOLO SOY UN PROGRAMADOR! ¡ME HABÍAN DICHO QUE HOENN ERA UN LUGAR IDEAL PARA PASAR LAS VACACIONES!
¡YO ME OCUPO DE LOS GRÁFICOS!
¡ESTABA DURMIENDO Y AL DESPERTAR TODO... TODO ES...!
¡¡YO SOY DISEÑADOR DE VIDEOJUEGOS!! ¡¡HOENN ES TERRIBLE!!
¡¡HUO!!
¡HUY!
SOY MUY APAÑADA. ES UNA SOLUCIÓN QUE HE LOGRADO MEZCLANDO ISPERO Y MELUCE DISUELTO EN FLUIDOS DE WEEPINBELL.
¡UAAAH!
DASH
SI SE LO LANZO A ESTOS, SE DISOLVERÁN EN UN SEGUNDO. ¡¡IGUALITO QUE ESTA PARED!!
ZAH

¡NO TE MUEVAS SI NO QUIERES VERLOS HECHOS PAPILLA!
¡¡Y AHORA VAMOS A PONER LAS COSAS EN SU SI-TIO!!
BAM BAM
BAM BAM
BAM
¡UGH!
CLONC
NOSE-PASS...
JA, JA, JA, JA...
BUENO, GROU-DON... ¡¡ADELAN-TE!!

BRRROOOOMMM

MI NOMBRE ES AQUILES.
MI NOMBRE ES MAGNO.
BRRRUUUMMM
PLIC

BOOM
BAUM
BAM
BAM
POM
PAF
AF

¡OOOOOOOOH!
BAUM
DASH

FUASH

¡BUM!

¡¡NANA, AULLIDO!!
¡AU UUU!
¡¡DONO, IMAGEN!!

EL EQUIPO MAGMA, LA ORGANIZACIÓN DEL UNIFORME ROJO CONTRA LA QUE COMBATÍ EN CIUDAD PORTUAL Y EN TÚNEL FERVERGAL. ESE ES...
EL EQUIPO AQUA, LA ORGANIZACIÓN DEL UNIFORME AZUL CONTRA LA QUE COMBATÍ EN EL BOSQUE PETALIA Y EL MONTE CENIZO. ESE ES...

¡¿SU LÍDER?!
¡¿SU LÍDER?!

¡¡ASÍ QUE...!!
ZAH
¡¡LOS PRISMAS ESTÁN EN SUS MANOS!!
ZAH

¡¡EL PRISMA ROJO QUE CONTROLA A GROUDON!!
¡¡Y EL PRISMA AZUL QUE CONTROLA A KYOGRE!!

¡¡PERO ALGO LES HA PASADO!!
¡CIERTO!
PARECEN COMPAÑEROS DE UN COMBATE MÚLTIPLE, PERO...
APENAS ESTÁN COLABORANDO. ES MÁS...
¡¡NI SIQUIERA...
...PARECEN CONSCIENTES DE LA PRESENCIA DEL OTRO!!
¡ESTUPENDO!
¡EN ESE CASO...!
¡...VOY A LANZAR EL ATAQUE PRINCIPAL! ¡¡TÚ CÚBREME!!
¡¿EEEEH?!
¡¡YA LO DIJISTE EN LA NAO ABANDONADA!! ¡¡EN EL COMBATE DE DOS CONTRA DOS EL TRABAJO EN EQUIPO ES FUNDAMENTAL!!
DE... ¡¡DE ACUERDO!!

DASH
¡¡CHIC!!
ZAH
ZAH ZAH
ZAH
ZAH ZAH
BRRRRAM
¡¡MU-
MU!!
¡¡DISTRAE
AL ENEMIGO
CON UN JUEGO
DE PIERNAS
SUPERRÁPIDO!!
¡¡Y ENTRE-
TANTO...!!
¡ZUM!

M
¡¡USA AMBOS MOVIMIENTOS!!
BAM BAM BAM BAM
¡BIEN! ¡CONSEGUIDO!
ENTRAS ECUPE- ¡VAMOS ANZAR O MOVI- ENTO!
¡¡NO NOS SUBESTIMÉIS!!

BAU
¡¡FRÍO POLAR!!
FUUUUUUH
FUOO
¡¡SOFOCO!!

¡PILO! ¡RONO! ¡¡DONO!!
¡¡POPO!! ¡¡COCO!! ¡¡NANA!!

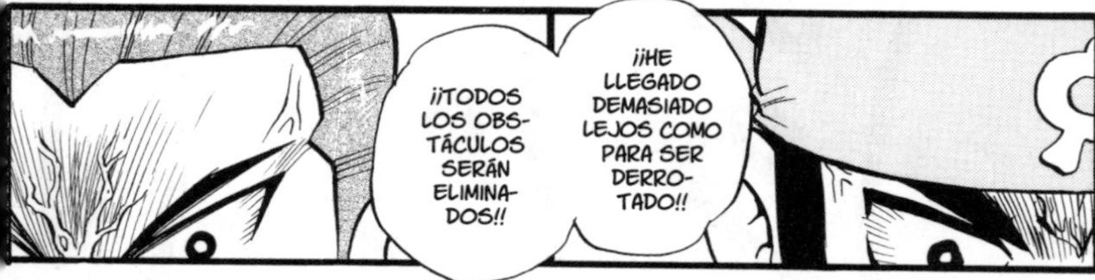
¡¡HE LLEGADO DEMASIADO LEJOS COMO PARA SER DERRO-TADO!!
¡¡TODOS LOS OBS-TÁCULOS SERÁN ELIMINA-DOS!!

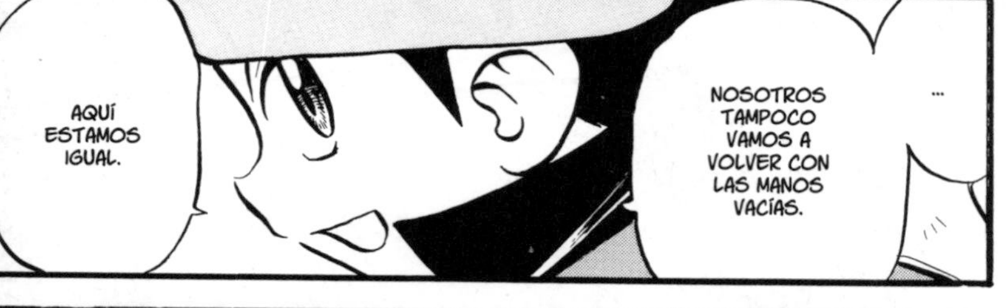
...
NOSOTROS TAMPOCO VAMOS A VOLVER CON LAS MANOS VACÍAS.
AQUÍ ESTAMOS IGUAL.

¡¡POPO!!
PAH
PAH
PAH
PAH
PAH
PAH

CRAAAAC
¡AAARGH!!
Y AHORA...
¡¡GRANIZO A PARTIR DE LOS CARÁMBANOS PRODUCIDOS POR EL FRÍO POLAR DE WALREIN!!
FLASH

ZOOOM

¡¡METEO-
ROBOLA!!
BOM
SSSSSSSH

ALGO RUDO, QUIZÁ... PERO BUENO.

BIEN, HEMOS CUMPLIDO NUESTRA MISIÓN: RECUPERAR LOS DOS PRISMAS.

¿UH? PE-RO... ¿Y ESTO?
¿QUÉ ES LO QUE PASA?

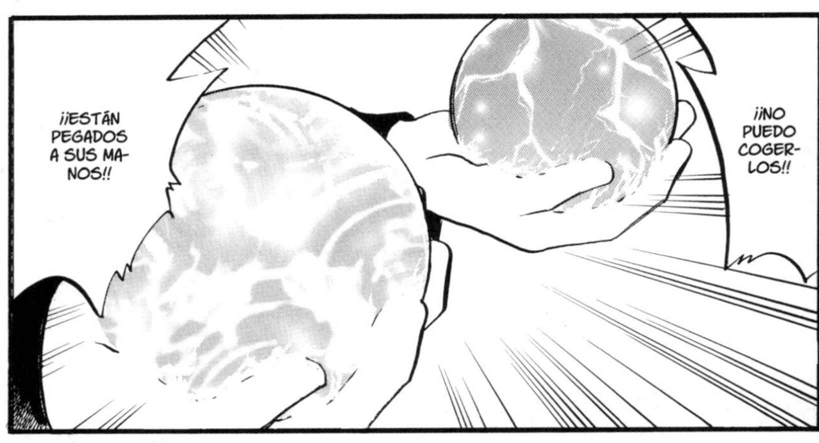
¡¡NO PUEDO COGER-LOS!!
¡¡ESTÁN PEGADOS A SUS MA-NOS!!

ZUM
ZUM

OH... OOOH...
E... ESTO...

¡¡LOS HOMBRES QUE PRETENDÍAN CONTROLAR ESAS TERRIBLES FUERZAS ANCESTRALES...
...HAN EMPEZADO A SER...
BZZZ
BZZZ
...CONSUMIDOS POR ESA ESPIRAL INSACIABLE!!
BZZZ
BZZZ
GGG... GGG...
GGG... GUUU...

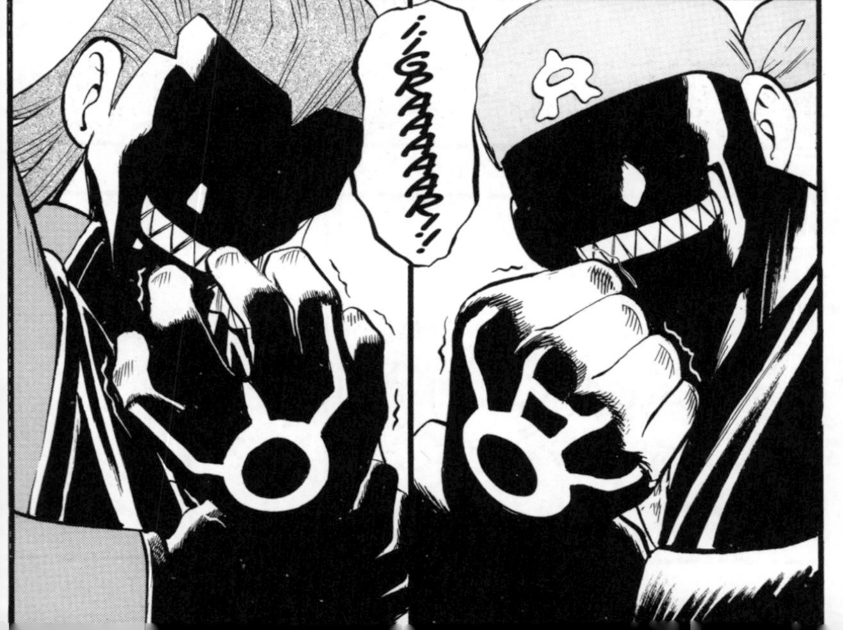
¡¡GRAAAAAR!!

CAPÍTULO 159: Contra Kyogre y Groudon XI

B
UAAAH....
¡¡UAAAAAARGH!!
RRRRRRRR
¡LAS ESFE-RAS...
...ESTÁN PENETRAN-DO EN LAS PALMA DE SUS MA-NOS!
DASH
¡¡SI DESAPA-RECEN NO PO-DREMOS RECUPE-RARLAS!!
¡¡AN-TO-JO!!
POING

ZAAAM
¡¡COCO!!
¡¡AH!! ¡¡MIRA!!

BRRRMMM
¡¡UAAAAAAARGH!!

¡¡LAS SOMBRAS DE KYOGRE Y GROU-DON!!
¡¿ENTON-CES NO ES UNA ILUSIÓN?!
¡LOS POKÉMON ANCESTRALES LOS ESTÁN POSEYENDO A TRAVÉS DE LAS ESFERAS!
GRAAAAAAAR
ZU
ASH

¡¡COCO, AYUDA!!
ZAA
¡CLASH!

¡GRACIAS AL MOVIMIENTO AYUDA, COCO HA TOMADO PRESTADA LA DEFENSA FÉRREA DE TU LAIRON!
¡LO HE UTILIZADO PORQUE PARECÍA CANSADO!
¡BIEN!

BRRRMMM
¡MENUDA FUERZA TAN INCREÍ-BLE!
¡AL FIN Y AL CABO NOS ESTAMOS EN-FRENTANDO A KYOGRE Y GROUDON!

¡LA SITUA-CIÓN SE HA INVER-TIDO!
QUIENES PRETENDÍAN CONTROLAR A LOS POKÉMON ANCESTRALES A TRAVÉS DE LAS ES-FERAS...

¡...SON CON-TROLADOS A TRAVÉS DE ELLAS!
¡LOS POKÉMON HAN USUR-PADO SUS MENTES!

GRUAAAR
¡¡GRAAAAAAAAARG!!
¡¡CUIDADO!!
¡¡MUMU, PRO-
TÉGELA!!
¡¡CHA-
POTEO
LODO!!
¡¡JOOORG!!
BAM
DASH

ESTA IMPRESIÓN...
...YA LA HABÍA TENIDO HACE MUCHO TIEMPO...
¡¡AH!!
¡¡NO ES MOMENTO PARA PONERSE A RECORDAR!!
CHAC
CHAC
¡GRAAAAGH!
BAM

FUOOOOOSH
¡¡¡OOOOOOOOOOOOOOOH!!!
OOM
¡¿ESTAMOS FLOTANDO?! CO... ¡¿CÓMO?!
¡¡ESTÁN
BSORBIENDO
A ENERGÍA DE
OS MIEMBROS
E SUS EQUI-
OS Y DE SUS
POKÉMON!!

BOOO
¡KYOGRE, EL POKÉMON CUENCA MAR, Y GROUDON, EL POKÉMON CONTINENTE, ESTÁN INVOCANDO EL PODER DE LOS PRISMAS!
¡LA CAVERNA ABISAL...!
¡¡...SE ESTÁ DERRUMBANDO!!

RUBÍ ESTABA EN LO CIERTO.

CUANDO LOS LÍDERES DE GIMNASIO FRACA-SARON...

¡...LOS POKÉMON ANCESTRALES AVANZARON DEVASTANDO CON UNA INTENSIDAD AÚN MAYOR, E INVOCANDO EL PODER DE LOS DOS PRISMAS!
¡¡Y NO SOLO ESO!!

AHORA KYOGRE Y GROUDON SE DIRIGEN AL MISMO LUGAR. ¡¡AL LEGENDARIO LUGAR DE SU MÍTICA BATALLA!!

¡¡GROUDON PASA POR CIUDAD CALAGUA!! ¡¡Y POCO A POCO VA ACERCÁNDOSE A LA COSTA...
...DEJANDO UN RASTRO DE LLAMAS Y DESTRUCCIÓN!!
¡CON SEQUÍA, LOS VIOLENTOS RAYOS DEL SOL EVAPORAN TODA LA HUMEDAD DE LOS RÍOS Y LA VEGETACIÓN, CONVIRTIENDO LA TIERRA EN UN DESIERTO!
¡¡CON ÉL AVANZA EL VÓRTICE DE UN INFIERNO DE FUEGO INCANDESCENTE!!

¡¡POR OTRO LADO, KYOGRE AVANZA IGUALMENTE DECIDIDO HACIA EL LUGAR DEL ENCUENTRO!!

CON LLOVIZNA, ARRASTRA Y CONCENTRA TODO EL TEMIBLE PODER DE LAS TEMPESTADES.
¡¡Y MIENTRAS PROVOCA TSUNAMIS Y LLUVIAS TORRENCIALES AÚN MÁS DESTRUCTIVOS, AVANZA CON LA VISTA PUESTA EN UN SOLO PUNTO!!

CIUDAD PORTUAL.
BRRRR
BRRRR
BRRRR

¡HAN VENIDO! ¡¡MIRE, CAPITÁN!!
¡¡ES EL ZEPELION, LA SEDE VOLANTE DE LA ASOCIACIÓN POKÉMON!!

¡¡BIEN, VAMOS A REUNIRNOS CON ELLOS!!
¡NUESTRO CONOCIMIENTO, POR PEQUEÑO QUE SEA, PODRÍA SER DE AYUDA!
COF COF

VAMOS, GABI.
SÍ,
NO, CAPITÁN. GABI Y YO NOS QUEDAMOS AQUÍ.

¡¿CÓMOOO?!
HAY ALGO QUE ME PREOCUPA Y DEBEMOS INVESTIGAR.

¡¡PERO TEO...!!
BRRRR
¡¿DE QUÉ VA ESTO?!
BRRR

¿NO SIENTES ALGO, GABI?
¡NOTO UNA INSISTENTE PRESENCIA DESDE HACE RATO!
¡¿TE REFIERES A ÉL?!
PUUUF PUUUF
!!
DASH
¡ALLÍ!

¡¡ABSOL!!
¡¡EL POKÉMON CATÁSTROFE!!
¡ESO ES! ¡¡TAMBIÉN APARECIÓ EN EL ACCIDENTE DE TÚNEL FERVERGAL!!
FSH
¡¡ESPERA!!
DASH

!!
FRUS
¡¡MIRA, GABI!!
¡¡ES CENIZA DEL MONTE CENIZO!!
¡¿TAMBIÉN ESTUVISTE ALLÍ CUANDO SE INTERRUMPIÓ LA ACTIVIDAD VOLCÁNICA?!

¡¡Apareces siempre que va a suceder alguna desgracia!!
¡¡No estarás maniobrando en la sombra para las dos organizaciones criminales...!!
¡¡¿O eres tú el que atrae los desastres?!!

E... ¡Eh! ¡¿Quiere atacarnos?!
¡Espera, Teo!

¿No será que desde antiguo la gente ha malinterpretado a este Pokémon?

Puede que Absol haya aparecido cuando ocurrían desgracias,
pero no hay razón para atribuirle la causa de las mismas.

¡¡¿No será que al ser capaz de predecirlas con antelación se presentaba...
...para intentar avisar de ellas?!!

...

ZUH

¿QUIERES QUE SUBA A TU LO-MO? ¿ES ESO?

...

TEO, ¿CUÁL ES EL MAYOR DESASTRE QUE PUEDE OCURRIR?
¿QUÉ HAY PEOR QUE TODO LO QUE ESTÁ PASANDO?

¡¡...!!
¡¡EL LEGENDARIO ENFRENTA-MIENTO ENTRE KYOGRE Y GROUDON...!!
¡¡UN ESCENARIO CAPAZ DE DESTRUIR TODO HOENN!!

!!
¡¡EL PEOR DE TODOS LOS DESAS-TRES!!

¡¡MUÉSTRAMELO, ABSOL!! ¡¿SE VAN A ENFRENTAR LOS DOS POKÉMON PROVOCANDO UNA ESPIRAL DE DESTRUCCIÓN?!
¡¿DÓNDE OCURRIRÁ?!
ZAH
¡¡ESPERA, GABI!! ¡¡YO TAMBIÉN VOY!!
DASH

FLOAAAASH
¡ESTAMOS SUBIENDO A UNA VELOCIDAD INCREÍBLE!
¡¡ESTÁ CLARO QUE KYOGRE Y GROUDON NOS ESTÁN ATRAYENDO!!

¡¡GRAAAAAAURG!!

ZUUUM
!!
¡¡¿EH?!! ¡¡NOS ESTAMOS SEPARANDO!!

¡¡RUBÍ!!!!!
¡¡ZAFIROOO!!

SPLASH
SPLAS
SPLASH
SPLASH
SPLAS
¡¡MENUDA VELOCIDAD!! ¡¡ESTÁ AVANZANDO TOTALMENTE CONVENCIDO Y EN LÍNEA RECTA!!
¡TEO! ¡¿PUEDES AVERIGUAR ADÓNDE SE DIRIGE ABSOL?!
¡¡ESTOY EN ELLO!!
SPLASH
SPLASH
FUAASH
¡¿QUEEEE...?!
¡¿RUBÍ?!
¡¿ZAFIRO?!

ZUUUUUM

¡¡ESAS DOS MASAS DE ENERGÍA VAN EN LA MISMA DIRECCIÓN QUE ABSOL!!
¡¡YA ESTÁ, GABI!!
¡¡EL LUGAR AL QUE SE DIRIGE ABSOL...

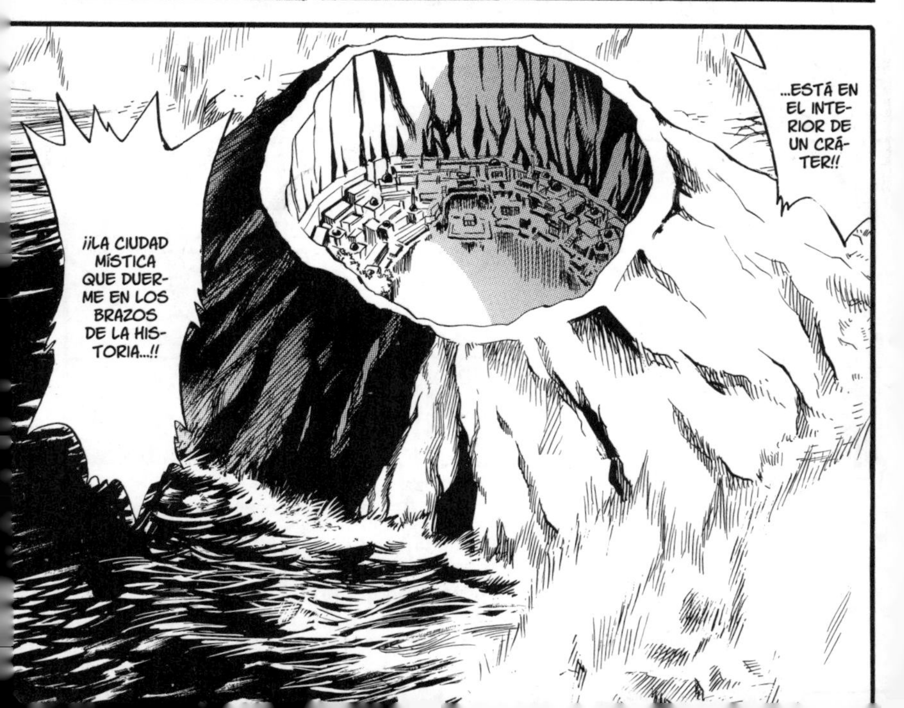
...ESTÁ EN EL INTERIOR DE UN CRÁTER!!
¡¡LA CIUDAD MÍSTICA QUE DUERME EN LOS BRAZOS DE LA HISTORIA...!!

¡¡ARRECÍ-
POLIS!!
¡25 DÍAS PARA CUMPLIR EL RETO!

POKÉMON
RUBÍ Y ZAFIRO

A FONDO

¡UNA COLOSAL FUENTE DE ENERGÍA!

¡¡EL MISTERIO DE LOS PRISMAS Y LAS PIEDRAS!!

CONOCEREMOS LOS SECRETOS QUE ENCIERRAN LAS PIEDRAS Y LOS PRISMAS, OBJETOS CLAVE DE LA CADA VEZ MÁS INTENSA BATALLA.

EN LA REGIÓN DE HOENN LOS PRISMAS Y LAS PIEDRAS SE CONSIDERAN "UNA BENDICIÓN Y LA OBRA DE ARTE DE LA MADRE NATURALEZA", AUNQUE LA FUENTE DE SU ENIGMÁTICO PODER AÚN ES DESCONOCIDA.

LO QUE SÍ SE SABE ES QUE ESA FUERZA ESTÁ RELACIONADA CON LOS POKÉMON ANCESTRALES Y CON EL DESENCADENAMIENTO DE LOS GRAVES ACONTECIMIENTOS QUE ESTÁN TENIENDO LUGAR Y QUE NECESITAN UNA CLARIFICACIÓN URGENTE.

PRISMAS

¡LOS MEDIADORES DE LA VOLUNTAD DE LOS DOS POKÉMON LEGENDARIOS!

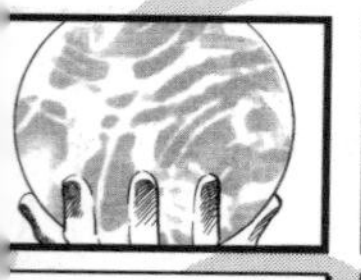

PRISMA AZUL

PRISMA ROJO

SE CREÍA QUE PERMITÍAN CONTROLAR A KYOGRE Y GROUDON, PERO EN REALIDAD DESTRUYEN LA MENTE DE QUIEN LAS OPERA, ABSORBEN TODO EL PODER DE LAS PERSONAS QUE SE HALLAN CERCA Y LIBERAN UNA TREMENDA ENERGÍA NEGATIVA.

PIEDRAS

¡¡SU EFECTO TAMBIÉN HACE EVOLUCIONAR A LOS POKÉMON!!

S BIEN CONOCIDO QUE EN MUCHAS PARTES E HOENN SE HAN DESENTERRADO PIEDRAS QUE HAN PROVOCADO LA EVOLUCIÓN DE OKÉMON DE TIPOS ESPECÍFICOS, COMO UA O FUEGO. TAMBIÉN SE SABE DE PIEDRAS E EVITAN LA EVOLUCIÓN DE LOS POKÉMON, AL COMO OCURRE CON LA PIEDRA ETERNA.

METEORITO

¡¡LA EXTRAÑA FUERZA QUE SE INFILTRÓ DESDE EL ESPACIO EXTERIOR!!

ENORME METEORITO DE PODER DESCONOCIDO QUE LLEGÓ DEL ACIO. UN METEORITO DEL TAMAÑO DE UN BALÓN DE FUTBOL CON DER PARA DETENER LA ACTIVIDAD CÁNICA. SE CREE QUE EL ORIGEN DE ESE PODER ES LA ENERGÍA BSORBIDA EN SU VIAJE POR EL ESPACIO EXTERIOR.

MÁXIMO

RECOLECTOR DE PIEDRAS. CAMPEÓN DE LA LIGA Y BUSCADOR DE PIEDRAS. TIENE UN CONOCIMIENTO PROFUNDO DE LAS RUINAS DE LA ANTIGÜEDAD.

SILVINA

EQUIPO AQUA EXPERTA EN EL USO DE LAS PIEDRAS, CON ELLAS CONTROLA LA EVOLUCIÓN DE LOS POKÉMON A SU ANTOJO.

¡SUPER-HIPÓTESIS!

¿EL ORIGEN DE TODO SE ENCUENTRA EN EL ESPACIO EXTERIOR?

LOS PRISMAS, LAS PIEDRAS Y EL METEORITO PROVIENEN DEL ESPACIO EXTERIOR. ENTRE LOS POKÉMON ES POSIBLE QUE HAYA ALGUNOS QUE TAMBIÉN TENGAN ORIGEN EXTRATERRESTRE. ES UNA INVESTIGACIÓN COMPLEJA Y AÚN SE ESTÁN ESPERANDO LOS RESULTADOS.

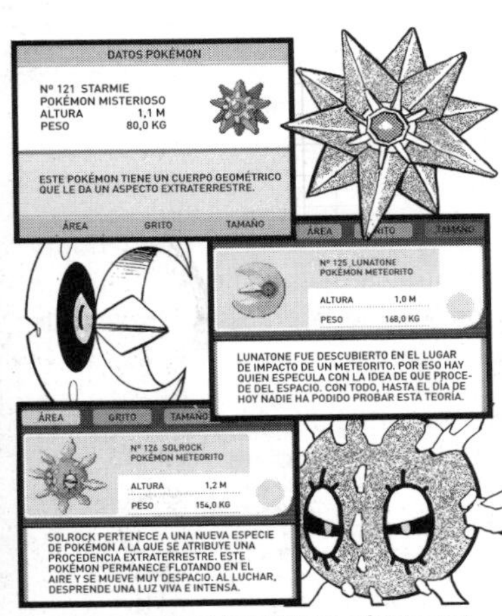

DATOS POKÉMON
Nº 121 STARMIE
POKÉMON MISTERIOSO
ALTURA 1,1 M
PESO 80,0 KG
ESTE POKÉMON TIENE UN CUERPO GEOMÉTRICO QUE LE DA UN ASPECTO EXTRATERRESTRE.
ÁREA GRITO TAMAÑO
Nº 125 LUNATONE
POKÉMON METEORITO
ALTURA 1,0 M
PESO 168,0 KG
LUNATONE FUE DESCUBIERTO EN EL LUGAR DE IMPACTO DE UN METEORITO. POR ESO HAY QUIEN ESPECULA CON LA IDEA DE QUE PROCEDE DEL ESPACIO. CON TODO, HASTA EL DÍA DE HOY NADIE HA PODIDO PROBAR ESTA TEORÍA.
ÁREA GRITO TAMAÑO
Nº 126 SOLROCK
POKÉMON METEORITO
ALTURA 1,2 M
PESO 154,0 KG
SOLROCK PERTENECE A UNA NUEVA ESPECIE DE POKÉMON A LA QUE SE ATRIBUYE UNA PROCEDENCIA EXTRATERRESTRE. ESTE POKÉMON PERMANECE FLOTANDO EN EL AIRE Y SE MUEVE MUY DESPACIO. AL LUCHAR, DESPRENDE UNA LUZ VIVA E INTENSA.

▲ TRES POSIBLES "POKÉMON CÓSMICOS". ¡PUEDE QUE HAYA NUEVAS ESPECIES POR DESCUBRIR!

EN CIUDAD ALGARIA.
EN EL CENTRO ESPACIAL DE CIUDAD ALGARIA.

▲ EN LA REGIÓN DE HOENN HAY UN IMPORTANTE CENTRO PARA LA EXPLORACIÓN ESPACIAL. SU OBJETIVO ES LANZAR AL ESPACIO ALGUNA CLASE DE VEHÍCULO ESPACIAL. ¿QUERRÁN INVESTIGAR LA VIDA EXTRATERRESTRE?

ALGUNAS SE HAN PULIDO, Y A ESAS SE LAS LLAMA "PRISMAS".

▲ PARECE QUE ORIGINALMENTE LOS PRIS ERAN PIEDRAS.

UN OBJETO CAÍDO EN EL MONTE MOON. QUIZÁ UNA PIEDRA LUNAR.

▲ SE DESCONOCE EL ORIGEN DE, ENTR OTRAS, LA PIEDRA LUNAR. HAY QUIEN SEÑALA QUE PUEDE SER UN FRAGME DEL METEORITO QUE LLEGÓ DEL ESPACIO.

GOOO
¡¡FANTÁSTICO!!
¡¡¡EL PODER DE ESTE METEORITO QUE CAYÓ DEL ESPACIO ES FANTÁSTICO!!!

▲ EL EQUIPO AQUA ABUSA DE LA ENER DEL GRAN METEORITO PARA SUS PR PIOS PROPÓSITOS.

¿Y CÓMO ES LA EDICIÓN ESPAÑOLA DE POKÉMON?

El manga de Pokémon lleva décadas siendo uno de los más populares en el mercado japonés, y por fin llega a España de mano de Norma Editorial. Por primera vez en castellano, los amantes de los Pokémon y los aspirantes a entrenadores podrán leer la que es, sin duda, la mejor adaptación en manga de una de las sagas de videojuegos más famosas del mundo.

En Japón esta serie ya supera ya los 50 tomos, ¡y lo que le queda! Pero como este manga era inédito en España, eso nos daba la oportunidad de presentar a los lectores una edición más cómoda y comprensible, organizada no solo por volúmenes consecutivos, sino también por sagas, las de los videojuegos originales.

Así que optamos por ordenar la serie con una doble numeración: por un lado, el número de volumen de la serie Pokémon, y por otro, un subnúmero que indica el volumen dentro de la saga. Es decir, que el tomo 11 de la edición española de *Pokémon* es también el tomo 3 de *Pokémon Rubí* y *Zafiro.*

El motivo es muy sencillo: de ese modo, si algún lector solo quiere comprarse (o empezar) por una saga concreta, puede hacerlo sin necesidad de adquirir otros tomos que, a priori, no le llaman tanto la atención.

Para que quede más claro, aquí tenéis la planificación de la serie:

VIDEOJUEGO	VOLUMEN DE LA COLECCIÓN MANGA	VOLUMEN DE NORMA
POKÉMON EDICIÓN ROJA/ POKÉMON EDICIÓN AZUL	POKÉMON ROJO, VERDE Y AZUL 1 Y 2	1 Y 2
POKÉMON EDICIÓN AMARILLA	POKÉMON AMARILLO 1 Y 2	3 Y 4
POKÉMON EDICIÓN ORO/ POKÉMON EDICIÓN PLATA/ POKÉMON EDICIÓN CRISTAL	POKÉMON ORO, PLATA Y CRISTAL 1 A 4	5 A 8
POKÉMON EDICIÓN RUBÍ/ POKÉMON EDICIÓN ZAFIRO	POKÉMON RUBÍ Y ZAFIRO 1 A 4	9 A 12
POKÉMON EDICIÓN ROJO FUEGO/ POKÉMON EDICIÓN VERDE HOJA	POKÉMON ROJO FUEGO Y VERDE HOJA 1 Y 2	13 Y 14
POKÉMON EDICIÓN ESMERALDA	POKÉMON ESMERALDA 1 Y 2	15 Y 16
POKÉMON EDICIÓN DIAMANTE/ POKÉMON EDICIÓN PERLA	POKÉMON DIAMANTE Y PERLA 1 A 5	17 A 21
POKÉMON EDICIÓN PLATINO	POKÉMON PLATINO 1 Y 2	22 Y 23
POKÉMON EDICIÓN ORO HEARTGOLD/ POKÉMON EDICIÓN PLATA SOULSILVER	POKÉMON ORO HEARTGOLD Y POKÉMON PLATA SOULSILVER 1 Y 2	24 Y 25
POKÉMON EDICIÓN NEGRA/ POKÉMON EDICIÓN BLANCA	POKÉMON NEGRO Y BLANCO 1 A 5	26 A 30

Y COMO SUELEN DECIR... ¡HAZTE CON TODOS!™